Regina Assini - Sus

ROSE ROSSE

PER IL COMMISSARIO

Redazione: Jana Foscato, Donatella Sartor
Progetto grafico: Nadia Maestri
Grafica al computer: Simona Corniola
Illustrazioni: Mario Benvenuto

Saremo lieti di ricevere i vostri commenti ed eventuali
suggerimenti, e di fornirvi ulteriori informazioni che riguardano
il nostro materiale:
e-mail: redazione@cideb.it
http://www.cideb.it

ISBN 88-7754-903-3 libro
ISBN 88-7754-904-1 libro + CD

Stampato da Litoprint, Genova (Italia)

SOMMARIO

Capitolo 1 UNA BANCONOTA MISTERIOSA 5
ATTIVITÀ 9

Capitolo 2 UNA FALSA PISTA 18
ATTIVITÀ 22

Capitolo 3 UNO STRANO DELITTO 31
ATTIVITÀ 35

Capitolo 4 IL SOSPETTO NUMERO 1 41
ATTIVITÀ 44

Capitolo 5 IL MISTERO SI INFITTISCE 52
ATTIVITÀ 55

Capitolo 6 IL FIORAIO 63
ATTIVITÀ 67

Capitolo 7 UN LOSCO TRAFFICO

ATTIVITÀ

72

76

Capitolo 8 IN TRAPPOLA!

ATTIVITÀ

83

86

Capitolo 9 È TUTTO CHIARO!

ATTIVITÀ

92

98

SOLUZIONI

128

Testo integralmente registrato

 Questi simboli indicano l'inizio e la fine delle attività di ascolto.

CELI 3 Questo simbolo indica gli esercizi in stile CELI 3 (Certificato di conoscenza della Lingua Italiana), livello B2.

UNA BANCONOTA MISTERIOSA

Buongiorno, Luigi. *Il Corriere della Sera* e *L'Espresso*, per favore... e anche *Grazia*, per mia moglie.

– Eccoli, signor commissario. Ora ce l'ha il tempo di leggere, eh? Bella cosa la pensione!

– Sì, cerco di godermela. Quanto le devo?

Il commissario Grandini non ha voglia di chiacchierare, stamattina: fa troppo freddo.

– Due euro e ottanta centesimi per *L'Espresso* e un euro e ottanta per *Grazia*, più novanta centesimi per *Il Corriere*: fanno 5 euro e 50 centesimi, signor commissario.

Ma non le mancano l'ufficio, i colleghi, gli omicidi...? È difficile, no, lasciare tutto così?

Il commissario fruga [1] nel portafoglio.

– Mi dispiace, ho solo un biglietto da cinquanta euro.

---

1. **fruga** : cerca con attenzione, esamina con cura.

– Non fa niente, ho il resto. E poi, da lei non mi aspetto certo una banconota falsa! Ecco a lei: dieci, venti, trenta, quaranta... e con questo sono cinquanta! Sono veri anche i miei soldi, commissario, può star tranquillo. Ah, ah! Buona giornata!

– Grazie e arrivederci, Luigi!

Il commissario Grandini non vede l'ora [1] di arrivare a casa, di mettersi in pantofole e di buttarsi sul divano a leggere. Ma si ferma di colpo. "Oddio, me ne stavo per dimenticare!" Attraversa la strada in fretta ed entra dal fioraio.

– Buongiorno, signor commissario, che cosa fa qui? Non ci sono assassini, nel mio negozio: e poi, se non sbaglio, ora ha anche smesso di corrergli dietro!

– Buongiorno! No, non cerco nessun assassino: vorrei soltanto una dozzina [2] di rose rosse. Può mandarmele a casa verso mezzogiorno? È l'anniversario del mio matrimonio...

– Che donna fortunata sua moglie! Queste rose la faranno sentire innamorata come il primo giorno!

– Sono veramente magnifiche! Va bene, allora verso mezzogiorno... Quanto le devo?

– Sono venti euro con la consegna.

Il commissario apre il portafoglio, tira fuori il biglietto da venti euro, sta per porgerlo al fioraio, quando nota qualcosa di strano: sulla banconota ci sono dei segni neri, sembrano dei numeri.

– Un momento; devo avere due banconote da dieci.

Si riprende il biglietto da venti euro e gliene dà due da dieci.

– Arrivederci, commissario.

---

1. **non vede l'ora** : è impaziente.
2. **dozzina** : serie di dodici.

ROSE ROSSE PER IL COMMISSARIO

Appena fuori dal negozio, il commissario esamina la banconota con attenzione: sì, ci sono proprio dei numeri che gli lasciano sulle dita una polvere nera, un po' grassa. Grandini si pulisce le mani con il fazzoletto e si stringe nelle spalle [1] sorridendo fra sé: "Vedo proprio misteri dappertutto: è un chiaro esempio di deformazione professionale!"

Qualche tempo dopo se ne sta tranquillamente seduto sul divano, quando sua moglie lo interpella:

– Allora, caro, hai consolato una bella bionda stamani?

Con un'espressione sarcastica, [2] gli tende il fazzoletto.

– Cosa? Ma che stai dicendo? E che ci fai con il mio fazzoletto?

– Lo lavo, no? Ma non sarà facile mandar via queste macchie di rimmel: chissà come ce le hai fatte!

– Rimmel? Sei sicura? Strano!

Il commissario si alza di scatto, va a prendere la giacca dall'attaccapanni, [3] tira fuori dal portafoglio il biglietto da venti euro e guarda più da vicino le cifre scritte con il rimmel, poi va al telefono e compone il numero del commissariato.

– Pronto? Melani? Sono Grandini. Senti, lo so che non sono più in servizio, ma ho bisogno di un'informazione. Vedi un po' a chi corrisponde questo numero di telefono: aspetta, si legge male... ecco, 02 456 879. Non mi fare domande: ti spiego dopo. Richiamami non appena sai qualcosa.

Il commissario Grandini riattacca e, con la banconota ancora fra le mani, vede che la moglie lo osserva interdetta.

---

1. **si stringe nelle spalle** : solleva le spalle e poi le lascia ricadere in segno di perplessità.
2. **sarcastica** : ironica, sprezzante, di sfida.
3. **attaccapanni** : oggetto usato per appendere cappotti, giacche, cappelli e simili.

Comprensione

CELI 3

1 Rileggi il capitolo e segna con una **X** la lettera corrispondente all'affermazione corretta.

1. Il commissario Grandini
   - **a.** ☐ è in pensione
   - **b.** ☐ vive in una pensione
   - **c.** ☐ è in permesso

2. Grandini ordina rose rosse per sua moglie
   - **a.** ☐ per farsi perdonare
   - **b.** ☐ perché è sua abitudine
   - **c.** ☐ perché è una ricorrenza particolare

3. Grandini paga con due banconote
   - **a.** ☐ perché ha solo biglietti da 10 euro
   - **b.** ☐ perché sulla banconota da 20 euro ci sono segni sospetti
   - **c.** ☐ perché è molto preciso

4. I numeri sulla banconota da 20 euro sono scritti
   - **a.** ☐ con l'inchiostro
   - **b.** ☐ con una sostanza nera e grassa
   - **c.** ☐ con la matita

5. Il commissario ha sporcato il fazzoletto
   - **a.** ☐ asciugando le lacrime della sua amante
   - **b.** ☐ con l'inchiostro dei giornali che ha comprato
   - **c.** ☐ pulendosi le dita dopo aver esaminato la banconota

6. Quando il commissario associa le macchie di rimmel ai segni sulla banconota
   - **a.** ☐ rientra in servizio
   - **b.** ☐ telefona al commissariato
   - **c.** ☐ telefona al numero scritto sulla banconota

2 Ascolta attentamente e trascrivi le parole mancanti.

Il commissario Grandini non vede .... di arrivare a
casa, di mettersi in .... e di buttarsi sul divano a
leggere. Ma si ferma di .... "Oddio, me ne stavo per
dimenticare!" .... la strada in fretta ed entra dal fioraio.
– Buongiorno, signor ...., che cosa fa qui? Non ci
sono ...., nel mio negozio: e poi, se non
............................., ora ha anche smesso di corrergli dietro!
– Buongiorno! No, non cerco nessun assassino: vorrei soltanto una
.... di rose .... Può mandarmele a
casa .... mezzogiorno? È l'............................. del mio
matrimonio...
– Che donna .... sua .... ! Queste rose la
faranno sentire .... come il .... giorno!
– Sono veramente .... ! Va bene, allora verso
mezzogiorno... Quanto le .... ?
– Sono venti euro con la ....

3 Hai buona memoria? Prova a completare il testo seguente.

Il commissario Grandini esce di casa e, come ogni mattina va
.... Non ha voglia di ....
stamattina perché .... Paga con una
banconota da 50 euro e riceve 44,50 euro di resto. Si avvia verso casa
e, all'improvviso, si ricorda che .... Va dal
fioraio e ordina .... per sua moglie. Gli chiede
di consegnarle .... Paga con due biglietti
.... perché nota che su quello da 20 euro ci
sono ....

Uscito dal negozio, guarda la banconota, la tocca, si sporca le mani
.... Si pulisce le mani
....................................., torna a casa e finalmente
.... Quando sua moglie, tenendo in mano il
fazzoletto, gli domanda se ...., il
commissario si alza di scatto, va a prendere .... e
.... Poi telefona .... per sapere
a chi appartenga .... scritto sulla banconota.

Grammatica

I pronomi personali

Soggetto	Complemento		
	diretto atono	indiretto atono	diretto tonico
io	mi	mi	me
tu	ti	ti	te
egli (lui)	lo	gli	lui
Lei forma di cortesia	La	Le	Lei
ella (lei)	la	le	lei
noi	ci	ci	noi
voi	vi	vi	voi
essi (loro)	li	gli	loro
esse (loro)		le	

Le forme tra parentesi sono frequenti nel linguaggio orale.

- I **pronomi atoni** diretti e indiretti si collocano in genere prima del verbo.
  In presenza di verbi modali (*volere, dovere, potere, sapere*), la loro posizione è flessibile: possono precedere il verbo modale o essere aggiunti all'infinito del verbo che segue.

  Posso aprire la finestra?   — *Sì, **la** puoi aprire.*
  — *Sì, puoi aprir**la**.*

  Quando il verbo è all'imperativo, in genere i pronomi lo seguono.

  *Scrivi**gli** una lettera.*   *Telefona**le**!*
  *Chiama**la**!*   *Non chiamar**la**!*

- I **pronomi tonici**, invece, possono precedere o seguire il verbo.

  A chi presti il libro?   *Lo presto a **lui**.*
  *A **me** non piace il caffè amaro e a **te**?*

1 Completa il seguente dialogo con i pronomi personali appropriati (ricordati che Grandini dà del tu a Melani e Melani dà del Lei a Grandini).

Grandini: – Pronto, sono il commissario Grandini. C'è Melani?

Melani: – Sono io. Che cosa .... è successo?

Grandini: – .... serve un'informazione. Vorrei sapere a chi corrisponde questo numero telefonico.

Melani: – .... sembra nervoso, commissario. È di nuovo sulle tracce di qualche assassino? Non ha smesso di correr.............. dietro? Se non sbaglio, ... è in pensione...

Grandini: – Sì, ... so, non sono in servizio ma, ... prego, non .... fare domande, ... spiego dopo.

Melani: – D'accordo, ... richiamerò non appena saprò qualcosa.

Grandini: – Grazie, ciao!

Melani: – Arrivederla!

2 Completa la seguente griglia con i pronomi personali appropriati.

		Penso che						
Se	non		incontro		telefono			
		ritroverai		dico				
		e		e				
Se	Franca		invita		regalerò	dei	cioccolatini	
vedo		avvertirai		ripeto				
Luigi				che				
				non				
chiederò					alziamo	alle	sette	
notizie				piace				
di								
Paolo								

Competenze linguistiche

1 **Trova per ogni prodotto il nome della persona che lo vende.**

libri : ....

francobolli : ....

frutta e verdura : ....

giornali : ....

medicine : ....

pane : ....

carne : ....

pesce : ....

benzina : ....

2 **Trova la definizione esatta delle seguenti parole presenti nel testo.**

1. Frugare

    a. ☐ cercare attentamente, ispezionando le parti più nascoste

    b. ☐ perquisire minuziosamente

    c. ☐ guardare

2. Porgere

    a. ☐ presentare

    b. ☐ portare

    c. ☐ dare qualcosa a qualcuno avvicinandogliela perché la possa prendere

3. Stringersi nelle spalle

    a. ☐ contrarre le spalle

    b. ☐ abbracciare qualcuno

    c. ☐ alzare le spalle mostrando disinteresse, perplessità, dubbio

4. Interpellare

   a. ☐ chiedere un parere

   b. ☐ interrogare

   c. ☐ rimproverare

5. Interdetto

   a. ☐ arrabbiato

   b. ☐ offeso

   c. ☐ sorpreso e turbato

CELI 3

3 **Collega le frasi utilizzando le congiunzioni, le preposizioni, i pronomi e gli avverbi necessari.**

Es. – Il commissario non ha voglia di fare una cosa

      – la cosa è di chiacchierare

      – la ragione è che fa freddo

      Il commissario non ha voglia di chiacchierare perché fa freddo.

1. – Sulla banconota ci sono dei numeri

      – i numeri lasciano sulle dita una sostanza

      – la sostanza è una polvere nera

      ....

      ....

2. – Il fioraio deve fare una cosa

      – la cosa è di portare le rose rosse

      – il commissario ha comprato le rose per la moglie

      – la moglie è di Grandini

      ....

      ....

CELI 3

4 Completa il testo inserendo la parola mancante negli spazi numerati.

C'è aria di fiori d'arancio

I fiori d'arancio sono sinonimo di matrimonio. Questo momento è spesso preceduto (1) .... snervanti preparativi che vanno (2) .... acquisto dell'abito e delle fedi per gli sposi, (3) .... scelta delle bomboniere, alle partecipazioni di nozze rivolte a parenti (4) .... amici, alla scelta del menù, alla compilazione della lista di nozze per evitare la spiacevole sorpresa di ricevere dieci tostapane e (5) .... una caffettiera! Tanto il matrimonio civile (6) .... il matrimonio religioso, celebrati cioè in comune o in (7) ...., vengono generalmente seguiti (8) .... un rinfresco, un banchetto, un pranzo o una cena.

Foto, brindisi, ringraziamenti (9) .... magari qualche lacrima di gioia, poi finalmente giunge il (10) .... del viaggio di nozze, detto a ragione "luna di miele".

A qualche centinaio di chilometri, in un altro paese o addirittura in un (11) .... continente, gli sposi sono finalmente lontani da tutti, ma soprattutto dall'agitazione degli ultimi tempi.

Ma lo sapevi (12) .... ad alcuni anniversari di matrimonio si associano dei metalli, naturalmente sempre più resistenti (13) .... più preziosi a indicare appunto (14) .... con il passare degli anni il traguardo è sempre più ambito? Così, (15) .... parla di nozze d'argento al raggiungimento (16) .... venticinquesimo anniversario e di (17) .... d'oro al raggiungimento (18) .... cinquantesimo. Nessun merito dunque a mantener saldo il matrimonio i primi anni: il primo (19) .... è di carta, il (20) .... di cartone. Così racconta la tradizione, ma sarà poi vero?

Produzione scritta

CELI 3

1 **Spiega lo slogan in funzione dell'immagine.**

- Perché viene usato l'aggettivo "prezioso"?
- Quale relazione esiste tra l'immagine e il primo capitolo del poliziesco che stai leggendo?

(80-100 parole)

FINALMENTE UNA STAMPANTE CHE RENDE PREZIOSO OGNI TIPO DI CARTA

CELI 3

2 Costruisci un dialogo per ciascuna delle seguenti situazioni.

1. Un cliente entra in un panificio che sta per chiudere:
   – chiede un chilo di pane, ma ne sono rimasti solo sei etti.
   – accetta ugualmente. Spende 2 euro.
   – paga con una banconota da 20 euro, prende il resto, saluta ed esce.

   (80-100 parole)

2. Alla cassa di un supermercato la commessa fa il conto della spesa:
   – il cliente vorrebbe pagare con la carta di credito, ma in quel supermercato non le accettano.
   – la commessa chiede al cliente di darle la somma precisa.
   – il cliente cerca nel portafoglio e alla fine trova i contanti.

   (80-100 parole)

3 Chi sono i personaggi del giallo che hai cominciato a leggere? Se possibile, indica per ciascuno di essi i dati relativi al sesso, all'età, alla professione.

Personaggio	Sesso	Età	Professione
....	....	....	....
....	....	....	....
....	....	....	....
....	....	....	....
....	....	....	....

4 Descrivi l'appartamento del commissario.

5 A chi potrebbe corrispondere il numero di telefono misterioso?

2

UNA FALSA PISTA

Ma allora, quando mi richiama quell'imbecille?

Il commissario non riesce a stare fermo: dopo più di trent'anni di attività stenta ad abituarsi alla pensione. Pensa che forse qualcuno è in pericolo, si domanda perché una donna – si tratta certamente di una donna! – ha scritto quelle cifre (un numero di telefono, non c'è dubbio!) su una banconota: il biglietto da venti euro è nuovo, ancora liscio; non può essere passato per molte mani... È quasi mezzogiorno! Grandini non ne può più: [1] si infila il cappotto, si mette le scarpe. Ha appena il tempo di rispondere alla moglie che dalla cucina urla che il pranzo è quasi pronto e gli chiede di non tardare. Il commissariato non è molto lontano: Grandini ci è sempre andato a

---

1. **non ne può più** : ha superato la propria capacità di sopportazione.

piedi. C'è un po' di ghiaccio sul marciapiede: deve starci attento, non vuole certo rompersi una gamba. Al suo arrivo gli ex-colleghi lo accolgono con una risata, con gli scherzi e le battute di sempre:

– Allora, commissario, soffre già di nostalgia? Vuol riprendere servizio?

Grandini trova Melani nel suo ufficio che sta facendo uno spuntino: un panino al prosciutto e una lattina di birra.

– Capo, qual buon vento la porta? Ho appena telefonato a casa sua: sua moglie mi ha detto che era uscito...

– Piantala [1] di chiamarmi 'capo'! Non sono più il tuo capo!

– Va bene, mi scusi... ma sa, capo, l'abitudine... oh, mi dispiace!

– Allora, questo numero? Che hai scoperto?

– Bene, niente di speciale! Una famiglia normalissima... nessuno è scomparso, nessun problema... niente, insomma!

– Eppure è strano...

– Strano come, capo? Mi vuole spiegare che succede?

– Lascia perdere; dimmi piuttosto: quella famiglia, dove abita?

– Ecco: ho preso nota di tutto... lei, però, mi deve spiegare!

– Dopo! Ora ho da fare.

– Ma insomma, capo, non può lasciarmi così all'oscuro... [2] e poi, lei è in pensione: che le succede?

– Lasciami in pace, ciao!

Un cenno con la mano e Grandini è già uscito. Comincia ad averne abbastanza [3] di sentirsi ripetere cento volte al giorno che è in pensione: non è una buona ragione per stare con le mani in

---

1. **piantala** : finiscila, smettila.
2. **all'oscuro** : all'insaputa dei fatti.
3. **averne abbastanza** : non poterne più.

mano! [1] E poi qualcuno può essere in pericolo... Chiama un taxi e si fa portare all'indirizzo che gli ha dato Melani. Il quartiere è in periferia ed è già mezzogiorno e mezzo: sua moglie sarà arrabbiata! Proprio un bello scherzo per il loro anniversario, ma ormai deve arrivare fino in fondo! Il taxi lo lascia davanti a un villino bianco con un giardino intorno: ci sono due biciclette appoggiate contro il cancello. Il commissario suona, un uomo sulla quarantina apre la porta:

— Buongiorno, desidera?

— Il Commissario Grandini, della sezione omicidi. Posso farle qualche domanda?

L'uomo ha l'aria sconvolta:

— Ma che c'è? Che succede? Mio figlio ha avuto un incidente?

— No, voglio solo domandarle qualche cosa, non è successo niente di grave, non si preoccupi.

— Entri; mi ha fatto paura. Vede, mio figlio ha una vespa; allora, sa, la polizia... ho subito pensato al peggio.

---

1. **stare con le mani in mano** : stare senza far niente.

Il commissario lo segue in salotto, dove una ragazza sta leggendo una rivista.

– La prego, si accomodi; si sieda...

Quando Grandini tira fuori il biglietto da venti euro con i numeri misteriosi la ragazza scoppia a ridere:

– Ma questo l'ho scritto io! È il nostro numero di telefono!

– Come, l'hai scritto tu?

Il padre si è voltato verso di lei.

– Ma sì: volevo lasciare il numero a Susanna, una nuova amica. Non avevo né carta né penna, allora lei ha preso una banconota dal portafoglio e io ce l'ho scritto sopra.

Il commissario è già in piedi: si sente piuttosto ridicolo e si vergogna un po'. A che cosa voleva giocare? Al giustiziere solitario? Saluta frettolosamente, lasciando sconcertati [1] i suoi interlocutori. Il taxi lo aspettava e lo riporta a casa. Diciannove euro! Il conto è salato [2] e questa volta non può farlo certo passare per una spesa di servizio. [3] È proprio arrabbiato; porge al tassista il famigerato [4] biglietto:

– Tenga il resto!

Decisamente non doveva uscire di casa quella mattina! Ma si ferma di botto: [5] davanti a casa ci sono alcune macchine della polizia, un'ambulanza, un gruppetto di curiosi...

---

1. **sconcertati** : completamente disorientati, confusi.
2. **salato** : costoso, elevato.
3. **spesa di servizio** : spesa giustificata da ragioni di lavoro e quindi rimborsabile.
4. **famigerato** : famoso (in senso negativo), che gode di cattiva fama.
5. **di botto** : di colpo, all'improvviso, bruscamente.

Comprensione

CELI 3

1 **Rileggi il capitolo e segna con una X la lettera corrispondente all'affermazione corretta.**

1. Il commissario è nervoso perché
   a. ☐ non riesce ad abituarsi alla pensione
   b. ☐ c'è ghiaccio sul marciapiede e ha paura di rompersi una gamba
   c. ☐ pensa che qualcuno è in pericolo

2. Grandini se la prende con Melani perché
   a. ☐ invece di lavorare sta mangiando un panino al prosciutto
   b. ☐ non gli ha voluto dare informazioni per telefono
   c. ☐ non gli ha telefonato

3. Grandini si fa portare all'indirizzo che gli ha dato Melani perché
   a. ☐ è in pensione e non sa come passare il tempo
   b. ☐ vuole fare uno scherzo alla moglie
   c. ☐ teme per la vita di qualcuno

4. La famiglia il cui numero telefonico è scritto sulla banconota abita
   a. ☐ in periferia
   b. ☐ non lontano dal commissariato
   c. ☐ in un'altra città

5. L'uomo che apre la porta è sconvolto perché
   a. ☐ si sente scoperto
   b. ☐ teme che il figlio abbia avuto un incidente
   c. ☐ pensa che il figlio abbia commesso qualcosa di grave

6. La ragazza rivela che ha scritto il proprio numero di telefono sulla banconota

a. ☐ per darlo a un'amica

b. ☐ per divertirsi

c. ☐ per non dimenticarlo

7. Il commissario è arrabbiato perché

a ☐ il conto del taxi è salato

b. ☐ davanti a casa sua ci sono alcune macchine della polizia, un'ambulanza e un gruppetto di curiosi

c. ☐ pensa che la ragazza abbia mentito

2 **Riordina le seguenti frasi seguendo l'ordine cronologico del testo.**

a. ☐ Il taxi si ferma davanti a un villino bianco con un giardino intorno.

b. ☐ I suoi colleghi lo accolgono con gli scherzi e le battute di sempre.

c. ☐ Va al commissariato per sapere a chi appartenga il misterioso numero telefonico.

d. ☐ Grandini è nervoso perché pensa che qualcuno, una donna certamente, sia in pericolo.

e. ☐ Prende un taxi e va all'indirizzo che gli ha indicato Melani.

f. ☐ Davanti a casa sua trova un gruppo di persone.

g. ☐ Il commissario si sente ridicolo e si vergogna un po'.

h. ☐ La figlia rivela al padre di avere scritto il numero sulla banconota perché non aveva né carta né penna.

i. ☐ Paga il taxi con il famigerato biglietto da 20 euro.

3 Ascolta attentamente e trascrivi le parole mancanti.

– Ma allora, quando mi .... quell'imbecille?
Il commissario non riesce a ....: dopo più di trent'anni
di attività .... ad abituarsi alla pensione. Pensa che forse
qualcuno è in ...., si domanda perché una donna
– .... certamente di una donna! – ha scritto quelle
.... (un numero di telefono, non c'è ....!) su
una banconota: il biglietto da venti euro è nuovo, ancora
.........................; non può essere passato per ....

Grammatica

L'imperativo e i pronomi

- All'**imperativo affermativo**, i pronomi semplici o doppi seguono il verbo.
  *Pianta**la** di chiamarmi "capo"!*
  *Lascia**mi** in pace!*
  *Chie**diglielo**, te lo dirà senz'altro.*

- L'imperativo di alcuni verbi *(dire, fare, andare, stare, dare)* è **monosillabico** (cioè costituito da una sola sillaba). In tal caso, i pronomi raddoppiano la loro consonante iniziale.
  *Lascia perdere; **dimmi** piuttosto...*

  Fa eccezione il pronome **gli**.
  *Di**gli** di venire all'ora di cena.*

- All'**imperativo negativo** i pronomi possono precedere o seguire il verbo.
  *Non far**mi** domande.*
  *Non **mi** fare domande.*

1 Trasforma le frasi seguenti secondo il modello.

Ti consiglio di andare all'ufficio di collocamento.
Va' all'ufficio di collocamento.
Vacci.

1. Ti consiglio di comprare *Il Corriere della Sera* il venerdì.

   ....
   ....

2. Vi consiglio di andare all'Informagiovani.

   ....
   ....

3. Ti consiglio di inventarti un lavoro.

   ....
   ....

4. Ti consiglio di fare soggiorni prolungati all'estero.

   ....
   ....

5. Vi consiglio di non scrivere informazioni false nel Curriculum Vitae.

   ....
   ....

6. Vi consiglio di avere maggior flessibilità.

   ....
   ....

7. Ti consiglio di mettere un'inserzione su *Il Sole 24 ore*.

   ....
   ....

8. Vi consiglio di scambiarvi informazioni utili.

   ....
   ....

9. Ti consiglio di imparare l'inglese.

   ....
   ....

Competenze linguistiche

1 **Trova il significato che corrisponde alle seguenti espressioni presenti nel testo.**

1. Non ne può più
   - **a.** ☐ è stufo
   - **b.** ☐ non sa cos'altro fare
   - **c.** ☐ è nervoso

2. Qual buon vento la porta?
   - **a.** ☐ sono contento di vederla
   - **b.** ☐ non sono affatto contento di vederla
   - **c.** ☐ lei è qui a causa del vento?

3. Piantala di chiamarmi "capo"!
   - **a.** ☐ non prendermi in giro
   - **b.** ☐ smettila di chiamarmi "capo"!
   - **c.** ☐ continua pure a chiamarmi "capo"!

4. Comincia ad averne abbastanza
   - **a.** ☐ non è ancora stufo
   - **b.** ☐ ne ha a sufficienza
   - **c.** ☐ non sopporta più

5. Stare con le mani in mano
   - **a.** ☐ dare la mano a qualcuno
   - **b.** ☐ stare mano nella mano
   - **c.** ☐ stare senza far niente

6. Il conto è salato
   - **a.** ☐ il conto è elevato
   - **b.** ☐ il conto è equo
   - **c.** ☐ il conto è economico

7. Di botto
   - **a.** ☐ facendo un rumore improvviso
   - **b.** ☐ all'improvviso
   - **c.** ☐ dopo qualche minuto

CELI 3

2 Collega le frasi utilizzando le congiunzioni, le preposizioni, i pronomi e gli avverbi necessari.

Es. – Il commissario non ha voglia di fare una cosa
– la cosa è di chiacchierare
– la ragione è che fa freddo
Il commissario non ha voglia di chiacchierare perché fa freddo.

1. – Il commissario non riesce a stare fermo
– il commissario aspetta una telefonata
– la telefonata è di Melani

....

2. – Il comportamento di Grandini è lo stesso di quel tempo
– il tempo è quando lui era un giovane commissario
– il giovane commissario lavorava giorno e notte

....

3. – Grandini entra al commissariato
– nel commissariato gli scherzi degli ex colleghi sono tanto numerosi
– gli scherzi innervosiscono Grandini

....

4. – Grandini si rivolge a Melani
– Grandini vuole avere da Melani un'informazione
– l'informazione è di chi è il numero di telefono scritto sulla banconota
– la banconota è di Grandini

....

Produzione scritta

CELI 3

1 In Italia scooter e vespe sono molto di moda tra i giovani e non solo! Spesso, infatti, se ne servono anche gli adulti, soprattutto nella bella stagione. Lo scooter e la vespa permettono infatti di sfrecciare liberamente in mezzo al traffico sempre più caotico delle città, soprattutto nelle ore di punta. Ma attenzione! Occorre stare molto attenti e usare prudenza: questi mezzi di trasporto sono estremamente pericolosi! È per questo infatti che da diversi anni, ormai, si è reso obbligatorio l'uso del casco.

Descrivi lo scooter che è rappresentato nella foto.

– Anche tu possiedi uno scooter? Lo vorresti? Giustifica la tua risposta.

– I mezzi a due ruote sono molto usati nella tua città/regione?

– Sono utilizzati soprattutto dai giovani o anche le persone adulte ne fanno uso?

(80-100 parole)

2 Come si risolve l'enigma del biglietto misterioso?
Che cos'altro viene a turbare la tranquilla vita del commissario in pensione?

....

....

....

3 Davanti a casa sua, il commissario vede un'ambulanza e alcune macchine della polizia. Che cosa può essere successo? Immagina e racconta.

a. Un inquilino si è sentito male ....

....

....

....

b. Si era sparsa la notizia che nel palazzo ci fosse una bomba ....

....

....

....

c. Altre ipotesi : ....

....

....

....

d. E ora immagina che cosa dice la gente (vicini, passanti, ecc.):

....

....

....

CELI 3

4 Il commissario decide di andare all'indirizzo che gli ha dato Melani e chiama il servizio taxi.
Immagina la telefonata, utilizzando i seguenti elementi:

– Grandini dà il suo nome e cognome e l'indirizzo del commissariato

– Il primo taxi è disponibile solo dopo 10 minuti

– Il commissario prega l'operatore di trovarne un altro, ma non c'è niente da fare

– Grandini si lamenta, ma accetta

(80-100 parole)

CELI 3

5 Utilizza le seguenti indicazioni per scrivere un breve Curriculum Vitae relativo alla carriera di Massimo Fossati, usando le seguenti espressioni.

cercare un lavoro – essere assunto – licenziarsi

fare carriera – avere una promozione

1975-1980
Impiegato all'interno dell'ufficio contabilità generale della Radaelli S.p.A. di Milano.

1980-1985
Responsabile dell'ufficio contabilità generale.

1985-1996
Responsabile amministrativo della Felix S.p.A. di Varese.

(80-100 parole)

3

UNO STRANO DELITTO

C hi è? Dove vuole andare?

— Ma... a casa mia! Che succede?

— C'è stato un delitto. Come si chiama lei?

— Un delitto? Ma io sono il commissario Grandini, abito al secondo piano e voglio tornare a casa.

Il poliziotto è confuso.

— Ah, il commissario Grandini... Beh... mi segua, per favore.

Grandini non capisce cosa stia succedendo, ma segue il poliziotto. Al suo passaggio gli altri inquilini [1] che stanno discutendo sulle scale fanno di colpo [2] silenzio. Grandini incomincia a sentirsi inquieto: un brutto presentimento [3] lo fa

1. **inquilini** : persone che abitano in casa d'altri pagando l'affitto.
2. **di colpo** : all'improvviso.
3. **presentimento** : sensazione anticipata e confusa, vago disagio.

salire le scale più in fretta. Sul pianerottolo del secondo piano c'è un vero e proprio assembramento: [1] gente che si sporge per vedere meglio, poliziotti che tengono a bada [2] i curiosi. La porta del suo appartamento è spalancata, [3] ci sono uomini che vanno e vengono.

– Ma insomma, che è successo? Dov'è mia moglie? Mi volete dire che cosa è successo?

Il poliziotto che lo precede si volta:

– Aspetti un attimo, vado a chiamare il commissario.

– Ma io voglio entrare in casa! Che succede? Mi spieghi!

Grandini, già sulla soglia, vede arrivare Melani.

– Melani, che ci fai a casa mia? Ora mi devi spiegare...

Melani lo prende per un braccio.

– Signor Grandini, è successa una cosa terribile... sua moglie...

– Mia moglie che cosa?

– È stata assassinata, venga!

Grandini è come paralizzato: [4] una leggera pressione di Melani sul braccio lo riporta alla realtà:

– Venga, ora mi deve seguire.

Il commissario segue Melani: gli sembra di trovarsi in una casa sconosciuta, mai vista prima di allora. Percorre il lungo corridoio, poi entra nell'ultima stanza a destra: è il suo studio. Resta muto, pietrificato [5] sulla soglia. Gli uomini della squadra omicidi si affaccendano, [6] tracciano dei segni sul pavimento; per terra ci

---

1. **assembramento** : piccola folla di persone.
2. **tengono a bada** : tengono indietro, trattengono, sorvegliano.
3. **spalancata** : completamente aperta.
4. **paralizzato** : incapace di muoversi.
5. **pietrificato** : irrigidito per timore o stupore.
6. **si affaccendano** : si danno da fare.

sono delle macchie. Grandini fa qualche passo verso il centro della stanza e si china per osservarle... è sangue! Melani è sempre al suo fianco e lo ferma:

– Mi scusi, ma non si può toccare niente: sa com'è, no? Senza dubbio sua moglie è stata colpita alle spalle perché ha una ferita alla nuca. È stato il suo vicino di pianerottolo a trovarla: ha visto la porta spalancata e ha sentito odore di bruciato, allora è entrato e l'ha trovata nello studio. In cucina c'era un arrosto carbonizzato [1] nel forno. Evidentemente sua moglie stava cucinando quando è entrato l'assassino. È certamente morta sul colpo.

Il commissario è sbalordito: [2]

– Ma chi ha potuto fare tutto ciò? E perché?

Ha quasi urlato la sua domanda. Un silenzio di tomba invade la stanza: tutti gli sguardi sono puntati su di lui.

---

1. **carbonizzato** : bruciato tanto da sembrare carbone.
2. **sbalordito** : profondamente impressionato.

Comprensione

1 Leggi il capitolo e rispondi alle domande. *(10-25 parole)*

1. Perché il primo poliziotto è confuso e imbarazzato?

   ....

   ....

   ....

2. Qual è l'atteggiamento degli inquilini?

   ....

   ....

   ....

3. Chi dà la brutta notizia al commissario? E come?

   ....

   ....

   ....

4. Quali sono le reazioni del commissario alle rivelazioni di Melani? (usa gli aggettivi presenti nel testo)

   ....

   ....

   ....

2 Hai buona memoria? Prova a completare il testo seguente.

Grandini, al seguito del poliziotto, ... le scale. Al suo .... gli inquilini fanno .... silenzio. Il commissario incomincia a sentirsi .... Ha un brutto .... Sul pianerottolo del secondo piano ci sono .... e .... La porta del suo appartamento è .... C'è un .... di persone. Ripetutamente chiede ....

3 Ascolta attentamente e trascrivi le parole mancanti.

Il commissario .... Melani: gli sembra di trovarsi in
una casa ...., ... vista prima di
allora. .... il lungo corridoio, poi entra
nell' .... stanza a destra: è il suo ....
Resta muto, ... sulla soglia. Gli uomini della squadra
omicidi si affaccendano, tracciano dei segni sul ....;
per terra ci sono delle .... Grandini fa qualche passo
verso il centro della stanza e si .... per osservarle... è
sangue!

Grammatica

Gli aggettivi possessivi

<table>
<tr><td></td><td colspan="2">Singolare</td><td colspan="2">Plurale</td></tr>
<tr><td></td><td>maschile</td><td>femminile</td><td>maschile</td><td>femminile</td></tr>
<tr><td>io</td><td>(il) mio</td><td>(la) mia</td><td>(i) miei</td><td>(le) mie</td></tr>
<tr><td>tu</td><td>tuo</td><td>tua</td><td>tuoi</td><td>tue</td></tr>
<tr><td>egli/ella</td><td>suo</td><td>sua</td><td>suoi</td><td>sue</td></tr>
<tr><td>noi</td><td>nostro</td><td>nostra</td><td>nostri</td><td>nostre</td></tr>
<tr><td>voi</td><td>vostro</td><td>vostra</td><td>vostri</td><td>vostre</td></tr>
<tr><td>essi/esse</td><td>loro</td><td>loro</td><td>loro</td><td>loro</td></tr>
</table>

In italiano l'aggettivo possessivo è, in genere, **preceduto dall'articolo**.
*È stato **il suo** vicino a trovarla.*

Lo stesso avviene per i pronomi possessivi:
*Vuoi **la mia** macchina? No, grazie, prendo **la mia**.*

Tuttavia **si omette l'articolo**:
• quando l'aggettivo segue il nome a cui si riferisce:
  *Dove vuole andare? Ma... a casa **mia**!*

- quando l'aggettivo si riferisce a nomi al singolare che
  indicano un grado di parentela, non alterati e non preceduti
  o seguiti da altri aggettivi:
  *Dov'è **mia** moglie?*
  *Dov'è **la mia** mogliettina?*
  *Che lavoro fa il **vostro** cugino materno?*

Loro, invece, è sempre accompagnato dall'articolo:
*Il **loro** zio fa il fioraio.*

1 Ricerca nel testo tutti gli aggettivi possessivi e completa la griglia.

con l'articolo o la preposizione articolata	senza l'articolo
al suo passaggio	a casa mia

2 Completa le seguenti frasi con l'aggettivo possessivo alla persona richiesta.

1. .... padre e .... madre mi vogliono bene,
   .... fratellini pure. (1° p. sing.)

2. .... amici sono venuti a trovare .... madre.
   (2° p. sing.)

3. .... camera è grande. (3° p. sing.)

4. .... compagno parte domani. (1° p. plur.)

5. .... idea è buona. (2° p. plur.)

6. .... nonnina è anziana. (3° p. plur.)

3 Inserisci negli spazi numerati gli aggettivi possessivi mancanti facendo attenzione all'uso di articoli e preposizioni semplici o articolate.

"Sorella coraggio" fa arrestare il fratello spacciatore

È una storia di disperazione e di coraggio quella di Deborah, la ragazza romana di 25 anni che ha fatto arrestare (1) .... fratello, Alfredo Ruffini, cocainomane e "pusher". Frugando tra i vestiti del fratello ha trovato (in) (2) .... giubbotto 32 grammi di eroina. La ragazza ha chiamato il "113" e al rientro Alfredo ha trovato ad attenderlo gli uomini della squadra mobile. Deborah aveva già denunciato il fratello nel 1995 perché l'aveva picchiata; per paura, lei e (3) .... madre avevano chiesto ospitalità (a) (4) .... parenti.

L'appartamento, nel periodo (di) (5) .... assenza, era diventato una vera e propria centrale per lo spaccio di sostanze stupefacenti. Quando la polizia pose fine all'attività di Alfredo e (di) (6) .... complici, in quella casa c'erano 96 gr. di eroina, 11 di coca, 2 500 euro in contanti e oggetti d'oro per un valore di 10 000 euro. Poi, Deborah e la madre sono tornate a casa. Quando lui è ricomparso erano passati sì e no dieci giorni. Era incensurato, aveva ottenuto una sospensione della pena. Per tre mesi è stato tranquillo, poi ha ricominciato (7) .... traffici.

Libera riduzione da
Il Corriere della Sera

Competenze linguistiche

1 **Chi compie le seguenti azioni?**

1. Assassinare ....
2. Commettere un delitto ....
3. Commettere un omicidio ....
4. Commettere un crimine ....
5. Indagare ....
6. Arrestare ....

2 **Individua la parola estranea in ogni serie.**

1. Assassinio – delitto – omicidio – suicidio – scippo
2. Nuca – spalle – braccio – collo – sguardo
3. Corridoio – macchie – studio – cucina – stanza
4. Muto – sbalordito – paralizzato – sconosciuto – pietrificato
5. Forno – arrosto – pianerottolo – cucina – odore
6. Poliziotto – commissario – inquilini – forze dell'ordine – squadra mobile

3 **Completa le frasi che seguono con le parole elencate.**

testa	spalle	mano	braccio	mani	collo

1. Ho stima di Carlo: ha davvero la testa sulle ....
2. Il dottor Bianchini non potrebbe fare a meno del suo segretario. È il suo .... destro.
3. Quando l'ha rivista le ha gettato le braccia al ....
4. Ieri, alla stazione, fortunatamente ho incontrato Luigi: mi ha dato una .... a portare le valigie.
5. Rita spende troppo: ha le .... bucate.
6. Non andare in macchina con Luca: è pericoloso! Ha sempre la .... fra le nuvole!

Produzione scritta

1 Chi può essere l'assassino della moglie del commissario? Formula delle ipotesi e indica i possibili moventi.

....

....

....

2 Per quali motivi, secondo te, il commissario Grandini non può essere l'assassino della moglie? Improvvisati detective e cerca di individuarli.

....

....

....

CELI 3

3 Immagina di essere un poliziotto della scientifica che redige il verbale sul ritrovamento del cadavere. Inserisci nel rapporto:

- quando è avvenuto l'intervento (mattino, pomeriggio o sera)
- a che piano è l'appartamento
- la posizione del cadavere

(80-100 parole)

....

....

....

....

....

....

....

....

4

IL SOSPETTO NUMERO 1

Melani lo ha preso di nuovo per un braccio:

— Venga, signor Grandini; abbiamo qualche domanda da farle. Dobbiamo lasciar lavorare i colleghi...

Accompagna in salotto il commissario. Sembra lui, adesso, il padrone di casa. Grandini è fuori di sé. [1] Eppure ne ha viste di scene simili: delitti, cadaveri... ma è sempre stato dall'altra parte, quella dei poliziotti, quella di chi fa le domande. Non si è mai trovato dalla parte delle vittime... né dei sospetti. Non capisce perché ora lo si tratti così.

— Le va di bere qualcosa, signor Grandini?

Melani lo guarda con inquietudine. Grandini alza gli occhi e gli sembra di vederlo per la prima volta.

1. **è fuori di sé** : (fig.) è in un grave stato di disagio mentale, psicologico.

– Ma perché ora non mi chiàmi più 'commissario' o 'capo'?

Melani è imbarazzato:

– Beh... cioè... con quello che è successo non ci capisco più niente nemmeno io. Insomma, la devo interrogare.

– Interrogarmi?

– Sì, lei mi capisce: si tratta di un delitto, di un assassinio. Bisogna cercare il colpevole.

– Certo, però... io non ne so niente. Sono appena rientrato in casa!

– Sono desolato, ma la devo interrogare. Avevate denaro, oggetti di valore?

– Denaro? No, ne tengo sempre poco in casa; c'è solo qualche gioiello di mia moglie.

– Controlleremo se manca qualcosa. Che cosa ha fatto stamattina?

– Stamattina? Ma sono venuto da te, al commissariato. Questo lo sai bene!

– Mi dispiace, ma deve raccontarmi in modo più preciso come ha trascorso la mattinata.

Grandini non crede alle proprie orecchie, [1] ha l'impressione di vivere un incubo: [2] è proprio lui a essere interrogato, questa volta!

– Sì, ma dopo? Lei non è rimasto nel mio ufficio per più di un quarto d'ora, da mezzogiorno a mezzogiorno e un quarto... e non mi ha voluto dire niente. Quando ho telefonato a casa sua, stamattina poco prima di mezzogiorno, è venuta a rispondermi sua moglie. E ora sono le tre passate... dobbiamo sapere che cosa ha fatto esattamente nelle ultime ore.

---

1. **non crede alle proprie orecchie** : (fig.) è incredulo.
2. **incubo** : brutto sogno.

- Si riferisce a persone e sostituisce: **con lui / lei / loro;
  su di lui / lei / loro.**
  *Quell'impiegato è molto capace; il direttore **ci** conta (**ci** = su di lui).*
- È usato in **espressioni idiomatiche:**
  ***Ci vedo** bene.*
  *Non **ci sento.***
  ***Ci vuole** mezz'ora per andare alla stazione.*
  ***Ci vogliono** dieci minuti per andare all'ufficio postale.*
  *Per andare a scuola **ci metto** quindici minuti a piedi.*
  ***C'è** molta gente in piazza.*
  ***Ci sono** molti curiosi davanti alla casa di Grandini.*

Quando precede i pronomi **lo, la, li, le, ne, ci** diventa **ce.**
*Hai la macchina? Sì **ce l'ho.***

1 **Completa le seguenti frasi con CI o NE.**

1. Con che cosa andate in centro? .... andate in bicicletta o a piedi?

2. Hai conosciuto il nuovo vicino? Che impressione .... hai ricevuto?

3. Quando ho incontrato Carla .... sono rimasto affascinato.

4. Gli ho chiesto di comperarmi i giornali ma, distratto com'è, se .... è dimenticato.

5. È andato a una cena a casa di amici, gli hanno offerto della Vodka, ... ha bevuti vari bicchieri ed è tornato a casa ubriaco fradicio.

6. Fa finta di non sentir......... perché non ha voglia di accompagnarci al cinema.

7. Sono andati dal fioraio, ... sono usciti con un mazzo di fiori bellissimo.

8. .... è voluto molto tempo prima che riuscisse a parlare correntemente in italiano.

2 Indica con una ✗ se nelle frasi seguenti CI abbia valore di avverbio di luogo (A), pronome complemento (PC) o pronome riflessivo (PR).

	[A]	[PC]	[PR]
Quando **ci** telefonerete vi diremo l'ora della partenza.		✗	
1. Hai mai visto Monaco? Sì, **ci** siamo andati lo scorso anno.			
2. Ci aspettavamo che venissi.			
3. Marco è all'estero da vari mesi. **Ci** manca molto.			
4. Ci siamo divertiti molto lo scorso anno in Australia.			
5. Maria aveva promesso che **ci** sarebbe andata.			
6. Quel fatto è veramente triste: è meglio che non **ci** pensi.			
7. John è in Italia da tre mesi; non **ci** si trova ancora bene.			
8. Non **ci** voglio credere.			

3 Trasforma le frasi seguenti secondo il modello.

Non parlo volentieri di questa faccenda.
Non ne parlo volentieri.
....

1. Vuoi una fetta di torta?

....

2. Vengo dalla stazione adesso.

....

3. Sto lontano da queste storie.

....

4. È uscita male da questa storia.

....

5. È innamorato di questa ragazza.

....

6. Ha fatto una tragedia di questo fatto.

....

7. Ha letto poche pagine di quel romanzo.

....

8. Non vuole sapere nulla di quella vicenda.

....

Competenze linguistiche

1 **Completa il testo inserendo la parola mancante negli spazi numerati.**

La moglie (1) .... signor Esengrini è misteriosamente
scomparsa. (2) .... uomo denuncia il fatto al commissario
Sciancalepre, (3) .... comincia le (4) ....

(5) .... suo ufficio di Milano interroga l'ingegner
Fumagalli, presunto amante della (6) ...., da cui riceve
importanti informazioni, tra cui il (7) .... di un sospetto:
Luciano Barsanti. Il commissario, con l' (8) .... di due
poliziotti, si reca a (9) .... del signor Bersanti, ma non
trova (10) .... Non sa (11) .... rintracciarlo,
ma sente che questa persona è determinante per risolvere il
(12) ....

2 **Individua nel capitolo le espressioni che concorrono a descrivere i diversi stati d'animo di Melani e Grandini.**

Grandini	Melani
Essere fuori di sé	Essere imbarazzato

3 A ogni espressione sulla colonna di sinistra corrisponde una definizione sulla colonna di destra. Trovale.

1. Duro d'orecchi
2. Tirare le orecchie a qualcuno
3. Stare con l'orecchio teso
4. Mettere la pulce nell'orecchio
5. Fare orecchie da mercante
6. Non avere orecchio
7. Anche i muri hanno orecchi

a. Luogo in cui ci sono persone pronte a carpire ogni confidenza
b. Essere stonato
c. Far sorgere dubbi, sospetti
d. Rimproverare aspramente
e. Sordo o che sente poco
f. Ascoltare
g. Fingere di non capire

1	2	3	4	5	6	7

4 Nello schema si nascondono le parole sottoindicate. Le puoi trovare orizzontalmente, verticalmente e diagonalmente.
Le lettere restanti ti permetteranno di sapere che cosa si chiedono tutti i lettori di "Rose rosse per il commissario".

arma   arrestare   banda   colpevole   complice   furto   imputato
ladro   manette   pedinare   prigione   rapina   revolver   spia

R	C	O	M	P	L	I	C	E	I	L	E
E	P	R	I	G	I	O	N	E	C	A	R
V	A	O	M	M	T	I	T	S	N	S	A
O	D	A	R	R	I	T	O	I	S	A	N
L	N	P	U	R	E	A	P	R	I	S	I
V	A	F	O	N	L	A	V	E	L	A	D
E	B	R	A	R	R	E	S	T	A	R	E
R	E	M	I	S	P	I	A	L	D	M	P
E	L	O	V	E	P	L	O	C	R	A	C
A	I	M	P	U	T	A	T	O	O	S	O

....

....

Produzione scritta

CELI 3

1 Si nota, in questo capitolo, un cambiamento d'atteggiamento di Melani nei confronti di Grandini.

- Come si manifesta?
- A che cosa è dovuto, secondo te?
- Che ne pensi?

(80-100 parole)

....
....
....
....
....
....

2 Che cosa succederà? Immagina e racconta.

a. Melani accuserà Grandini ....
....
....
....

b. Grandini convincerà Melani che le accuse sono infondate ....
....
....
....

c. Grandini, per la paura, fuggirà ....
....
....
....

5

IL MISTERO SI INFITTISCE

Non ne posso più! Basta! Lasciatemi in pace!

Sono ore che Grandini viene interrogato dai suoi colleghi: ore che racconta come ha trascorso la mattinata, ore che parla della banconota misteriosa e della sua indagine. All'inizio hanno fatto fatica a credergli. Come aveva potuto un uomo intelligente come lui, con la sua esperienza, lasciarsi incuriosire a tal punto da qualche numero scarabocchiato su una banconota? Poi hanno rintracciato il tassista e il proprietario del villino dove Grandini si era fatto portare. Il suo alibi reggeva. [1] Grandini era anche tornato a casa con i poliziotti per controllare se nell'appartamento mancasse qualcosa. Niente, tutto era in

---

1. **il suo alibi reggeva**: (fig.) la sua versione dei fatti era logica.

ordine: i pochi soldi che teneva in casa erano ancora lì, nel terzo cassetto del comò. Nessuno aveva toccato i gioielli di sua moglie. Il mistero restava ancora irrisolto. Ma l'innocenza di Grandini, almeno, era dimostrata.

– Bene, non le resta che firmare la sua deposizione. [1] Ecco qua; se vuole la possiamo riaccompagnare a casa.

Grandini alza gli occhi stanchi:

– No, grazie, preferisco andare a piedi, mi farà bene. E per mia moglie? Per il funerale?

Melani esita un momento, poi risponde:

– Le faremo sapere... forse domani... lei sa com'è...

Sì, il commissario sa com'è. Ma non immaginava di poter essere così facilmente sospettato di un crimine orribile. Soltanto quando rientra a casa, quando si ritrova solo, Grandini si rende veramente conto di quello che è accaduto. Fino a quel momento, con tutta quella gente intorno, non aveva pensato che a difendersi. È scesa la notte e ora si accorge di avere un certo appetito. La cucina è in disordine, il forno è spalancato, l'arrosto bruciato è ancora nel forno. Una profonda tristezza lo invade. Aprendo il frigo trova una bottiglia di spumante. Sua moglie l'aveva messa in fresco... si era ricordata anche lei del loro anniversario: trentadue anni di matrimonio, trentadue anni di felicità stroncata [2] così brutalmente.

Se soltanto ne avesse avuto il tempo, avrebbe senz'altro preparato una delle sue specialità: il tiramisù.

Le lacrime gli salgono agli occhi. Ma d'un tratto si guarda

---

1. **deposizione** : dichiarazione del testimone.
2. **stroncata** : interrotta, spezzata.

intorno frugando con lo sguardo in ogni angolo, in tutte le stanze dell'appartamento. Ma sì! Come ha fatto a non pensarci prima? Le rose! Il fioraio non le ha consegnate! Grandini si precipita al telefono a chiamare Melani, ma poi gli torna in mente la sua nuova aria di superiorità e ironica condiscendenza. [1] Quel Melani che ha sempre lavorato ai suoi ordini e che ora si trova a occupare il suo posto soltanto perché è più giovane di lui!

Grandini riappende il ricevitore. Agirà da solo: farà vedere a tutti che è ancora capace di condurre un'indagine e di trovare un assassino! Deve fare uno sforzo enorme per non precipitarsi in strada, davanti al negozio del fioraio, ma è notte fonda e tutto è chiuso: domani mattina aprirà l'inchiesta più importante della sua vita e riuscirà, ne è certo, a smascherare [2] l'assassino della moglie.

1. **condiscendenza** : buona predisposizione d'animo, benevolenza.
2. **smascherare** : (fig.) scoprire (il colpevole).

Comprensione

1 **Rileggi il capitolo e rispondi alle domande.** *(10-25 parole)*

1. Quali sono i fatti che dimostrano l'innocenza di Grandini?

   ....

2. Quali sono le espressioni presenti nel testo che descrivono lo stato d'animo del commissario al suo rientro a casa?

   ....

3. Che cosa nota di strano il commissario a casa sua?

   ....

4. Perché decide di non telefonare all'ex collega Melani?

   ....

2 **Rimetti le seguenti frasi in ordine cronologico.**

a. ☐ Melani verifica le dichiarazioni di Grandini.

b. ☐ Grandini decide di condurre da solo le indagini.

c. ☐ Grandini firma la deposizione.

d. ☐ Grandini vorrebbe telefonare a Melani ma subito ci ripensa.

e. ☐ Si ricorda delle rose, le cerca con lo sguardo ma non le vede da nessuna parte.

f. ☐ A casa, in frigorifero, Grandini trova la bottiglia di spumante che la moglie aveva comprato per festeggiare l'anniversario del matrimonio.

g. ☐ Grandini racconta agli investigatori come ha trascorso la mattinata.

3 Ora fai il riassunto del capitolo riprendendo i punti dell'esercizio precedente. Cerca di evitare le ripetizioni e utilizza gli avverbi *poi, più tardi, all'improvviso, allora, infine.*

4 Ascolta attentamente e correggi quando necessario.

– Non ne posso più! Basta! Lasciatemi in pace!
Sono ore che Grandini viene interrogato da vari colleghi: ore che racconta come ha trascorso la giornata, ore che parla del misterioso biglietto di banca e della sua inchiesta. All'inizio hanno fatto fatica a credergli. Come può un uomo intelligente come lui, con la sua esperienza, lasciarsi insospettire a tal punto da qualche numero scarabocchiato su una banconota?
Poi hanno rintracciato il tassista e il proprietario del villino dove Grandini si è fatto portare. Il suo alibi regge. Grandini è anche tornato a casa, con i poliziotti, per controllare se nell'appartamento mancasse qualcuno.
Niente, tutto era in ordine: i molti soldi che teneva in casa erano ancora qui, nel terzo cassetto del comò. Qualcuno aveva toccato i gioielli di sua moglie. Il mistero resta ancora irrisolto!
Ma l'innocenza di Grandini, almeno, era dimostrata.

Grammatica

Il passato prossimo

Presente indicativo dell'ausiliare   +   **participio passato del verbo**

ho/sono	abbiamo/siamo	are	→ ato
hai/sei	avete/siete	ere	→ uto
ha/è	hanno/sono	ire	→ ito

È scesa la notte.   *Come ha fatto a non pensarci prima?*

N. B.   Il participio passato retto dall'ausiliare **essere** si concorda sempre con il soggetto.

• **Participi passati irregolari**

accendere	acceso	prendere	preso
chiedere	chiesto	rimanere	rimasto
chiudere	chiuso	rispondere	risposto
coprire	coperto	scrivere	scritto
dire	detto	spegnere	spento
fare	fatto	spendere	speso
leggere	letto	trascorrere	trascorso
mettere	messo	vedere	visto
perdere	perso	venire	venuto

Uso di essere o avere

• L'ausiliare **avere** si usa generalmente con i verbi transitivi:
  *Il fioraio non le **ha consegnate**!*

• L'ausiliare **essere** si usa
  – con i verbi intransitivi:
  *Grandini si rende conto di quello che **è accaduto**.*

  – con i verbi riflessivi e pronominali:
  ***Ci siamo divertiti** molto al cinema.*

  – con i verbi impersonali: ***È piovuto** tutto il giorno.*

  – per la formazione del passivo:
  *Gli alunni **sono stati interrogati** da un supplente.*

• Verbi d'uso comune che reggono l'ausiliare **essere**
  – verbi di stato:
  nascere (nato), diventare (diventato), morire (morto), essere (stato)

  – verbi di movimento:

andare	partire
arrivare	rimanere (rimasto)
salire	entrare
scendere (sceso)	tornare
uscire	venire (venuto)

1 Trova l'infinito dei verbi al participio passato.

1. **Ho risposto** alla tua ultima lettera. ....

2. **È venuto** a cena da noi ieri sera. ....

3. **Abbiamo trascorso** una bellissima
   vacanza a Capri. ....

4. Quanto tempo **siete rimasti** in Italia? ....

5. Ieri **abbiamo fatto** una passeggiata per il
   corso e abbiamo incontrato molti colleghi. ....

6. **Si è messo** un abito elegante ed **è uscito**. ....

7. **Avete scritto** qualche cartolina ai
   vostri amici? ....

8. Erano in ritardo e **hanno perso** il treno. ....

2 Coniuga i verbi tra parentesi al passato prossimo.

1. Il vicino di pianerottolo ..ha visto............... (*vedere*) la porta
   spalancata, ... (*sentire*) odore di bruciato e
   .... (*trovare*) la signora per terra nello studio.

2. Gli uomini della squadra omicidi .... (*notare*)
   macchie di sangue sul pavimento.

3. L'assassino non .... (*prendere*) né soldi né
   gioielli.

4. La polizia .... (*interrogare*) il commissario
   Grandini.

5. Melani .... (*chiedere*) al commissario come
   .... (*trascorrere*) la mattinata.

6. La polizia .... (*stabilire*) l'innocenza di Grandini.

7. Tornato a casa, Grandini .... (*cercare*) le rose e
   non le .... (*trovare*).

8. Il commissario .... (*cominciare*) a sospettare del
   fioraio.

3 Trasforma le seguenti frasi secondo il modello.

John si è alzato presto.	I suoi amici si sono alzati presto.
1. È uscito alle 9.	I suoi amici ....
2. È andato in giro per la città.	Noi ....
3. È salito sul campanile di Giotto.	Le sue amiche ....
4. È sceso in fretta.	Voi ....
5. È passato da Anna.	Loro ....
6. È rimasto da lei tutto il pomeriggio.	Noi ....
7. È rientrato a casa tardi.	Le mie amiche ....
8. Mi sono innamorata di lui.	Silvia ....

Competenze linguistiche

1 Completa la griglia con sostantivi, aggettivi o avverbi.

Sostantivi	Aggettivi	Avverbi
	intelligente	
tristezza		
felicità		
	chiaro	
innocenza		
	stanco	
		facilmente

2 Cerca il contrario degli aggettivi individuati.

1. Intelligente .... / stupido ....
2. .... / ....
3. .... / ....
4. .... / ....
5. .... / ....
6. .... / ....
7. .... / ....

3 Trova la definizione esatta delle seguenti parole presenti nel testo.

1. Scarabocchiare
   a. ☐ tirare le prime linee di un disegno
   b. ☐ scrivere cose inutili o insulse
   c. ☐ scrivere o dipingere con cura e arte

2. Alibi
   a. ☐ motivo che diminuisce la gravità di qualcosa
   b. ☐ prova della presenza dell'accusato in un luogo diverso da quello del crimine
   c. ☐ motivazione apparente che nasconde il vero

3. Deposizione
   a. ☐ dichiarazione fatta da un testimone al giudice
   b. ☐ consegna di beni o di valori custoditi e retribuiti dietro eventuale richiesta
   c. ☐ processo naturale che dà luogo alla formazione di depositi

4. Precipitarsi
   a. ☐ cadere rovinosamente dall'alto
   b. ☐ incamminarsi
   c. ☐ correre, affrettarsi

5. Smascherare
   a. ☐ togliersi la maschera
   b. ☐ scoprire
   c. ☐ spogliare delle vesti

4 Per concludere il pranzo in bellezza la signora Grandini avrebbe certamente preparato un dolce. Come la stragrande maggioranza degli italiani il commissario va matto per il tiramisù. Non è difficile prepararlo. Provaci anche tu, ma attenzione a ristabilire l'ordine esatto di ciascun momento della preparazione di questo dolce squisito.

IL TIRAMISÙ

Ingredienti per 8 persone
3 tuorli
3 cucchiai di zucchero semolato
650 g di mascarpone
3 dozzine di biscotti duri
3 dl circa di caffè
cacao in polvere

a. ☐ Trasferite sul fondo di una coppa qualche cucchiaiata della crema preparata.

b. ☐ Distribuitevi sopra qualche cucchiaiata di crema, quindi procedete con un altro strato di biscotti imbevuti, terminando con la crema.

c. ☐ Al momento di servire, spolverizzate la superficie con cacao.

d. ☐ Lavorate i tuorli con lo zucchero finché risulteranno chiari e spumosi, poi amalgamatevi il mascarpone.

e. ☐ Bagnate leggermente metà dei biscotti nel caffè e poneteli in un solo strato sul fondo della coppa.

f. ☐ Coprite la superficie con pellicola e lasciate riposare in frigo per almeno due ore.

Ci sei riuscito? Bravo. Ora presenta un dolce famoso nel tuo paese a un amico italiano.

Produzione scritta

CELI 3

1 Da quando gli hanno comunicato la morte della moglie, Grandini non ha avuto un attimo di tregua.

Ma ora, tornato a casa, la calma della sera e soprattutto il terribile silenzio lo riportano all'amara realtà.

In preda allo sconforto, l'ex commissario decide di scrivere una lettera a un caro amico, nella quale:

- si scusa di non essersi più fatto sentire
- gli racconta brevemente cosa è successo
- gli descrive il suo stato d'animo
- gli chiede un consiglio: deve svolgere delle indagini o lasciar fare alla polizia?
- lo ringrazia e lo saluta

(80-100 parole)

....
....
....
....
....
....
....
....
....
....
....
....
....
....

6

IL FIORAIO

L'indomani mattina Grandini si alza dopo una notte agitata. È strano ritrovarsi solo. Ha sempre davanti agli occhi la figura della moglie, presente e paziente come al solito... Quante volte lo ha aspettato davanti alla tavola apparecchiata! Quante volte ha trascorso notti in bianco, [1] angosciata perché sapeva che suo marito stava conducendo un'indagine rischiosa! È stato lui a scegliere un mestiere difficile, pericoloso, ed è stata lei a morire... Questi sono i pensieri che gli si sono affollati [2] in testa durante la notte e gli hanno impedito di prender sonno. Si è girato e rigirato nel letto: poi si è alzato, è arrivato davanti alla porta dello studio e

1. **notti in bianco** : (fig.) notti trascorse senza dormire.
2. **affollati** : addensati, accalcati.

non ha avuto il coraggio di aprirla. Alle quattro del mattino, quando stava per assopirsi, [1] lo ha svegliato del tutto il camion della nettezza urbana. [2] Allora si è alzato per farsi un caffè. Alle sette e mezzo eccolo fuori. Alcuni negozi sono già aperti: il fornaio, il giornalaio... anche il fioraio è già lì che sta scaricando il furgone [3] aiutato dal suo commesso. Dall'altra parte della strada Grandini lo osserva: senza dubbio è appena tornato dai mercati generali. Nonostante il freddo pungente il fioraio è in maniche di camicia: affaccendato, dà ordini con la sigaretta fra le labbra. Sa forse qualcosa? Grandini, che si è appostato [4] dietro l'edicola per osservarlo, dice a se stesso che è impossibile: lo conosce da tanto tempo... Sta per rientrare in casa: lascerà Melani a occuparsi dell'inchiesta.

– Commissario! Grandini si gira.

– Commissario, sono veramente desolato [5] per sua moglie... se penso che era il vostro anniversario di matrimonio! Le giuro, non ho dormito, stanotte...

Il commissario è imbarazzato: le condoglianze [6] lo mettono in imbarazzo e non sa che dire.

– Sono davvero rimasto scioccato quando sono venuto a consegnare i fiori, ieri alle due, e ho saputo... Le rimborserò [7] il prezzo delle rose...

---

1. **assopirsi** : cadere in un sonno leggero.
2. **nettezza urbana** : servizio pubblico o privato che ha il compito di mantenere la pulizia delle strade.
3. **furgone** : piccolo camion chiuso.
4. **appostato** : nascosto (per spiare).
5. **desolato** : afflitto, triste.
6. **condoglianze** : parole di partecipazione al dolore altrui, per un lutto.
7. **rimborserò** : restituirò.

Il commissario si scuote:

– Non fa niente, la ringrazio. Mi scusi...

E si allontana. È certo, quell'uomo è estraneo ai fatti. Ma allora, chi? Rientrato a casa, apre le tende del salotto e osserva la strada. Vede il negozio del fioraio e gli tornano in mente le sue parole:

« Sono venuto da lei verso le due... » Eppure Grandini si ricorda bene di avergli chiesto di consegnare i fiori verso mezzogiorno. Un presentimento, un'intuizione lo trattengono lì, davanti alla finestra. Perché il fioraio è venuto così tardi? Sa forse qualcosa? Intanto fuori arrivano i primi clienti. Si fermano di fronte alla vetrina, si chinano [1] a guardare le piante. Alcuni entrano. Il fioraio è gentile e sorridente con tutti. Gli affari vanno bene, sembra. Entrano due giovani che ne escono poco dopo con un mazzo di fiori. Tutto è normale, disperatamente normale... D'un tratto Grandini ha una rivelazione. [2] Ma no, non è normale! In quel negozio succede qualcosa di strano, qualcosa di grave. Il commissario resta ancora lì per diverse ore. Questa volta ne è sicuro: il fioraio nasconde qualcosa... FINE

---

1. **si chinano** : si piegano verso il basso.
2. **rivelazione** : lampo, idea luminosa.

Comprensione

CELI 3

1 **Rileggi il capitolo e rispondi alle domande.** *(10-25 parole)*

1. Perché il commissario non riesce a prendere sonno?

....

....

2. Che cosa sta facendo il fioraio alla riapertura del negozio?

....

....

3. Perché, in seguito alla conversazione, il commissario scagiona il fioraio, ma poco dopo lo sospetta di nuovo?

....

....

4. Perché il commissario pensa che gli affari del fioraio vadano bene?

....

....

2 **Ascolta attentamente e trascrivi le parole mancanti.**

È ...., quell'uomo è .... ai fatti. Ma allora, ... ? Rientrato a casa, apre le .... del salotto e osserva la strada. .... il negozio del fioraio e gli .... in mente le sue parole: «Sono .... da lei verso le due...» Eppure Grandini si .... bene di avergli chiesto di consegnare i .... verso mezzogiorno. Un presentimento, un'intuizione, lo .... lì, davanti alla finestra. Perché il .... è venuto così tardi? Sa forse .... ? Intanto fuori arrivano i primi clienti. Si fermano .... alla vetrina, si chinano a guardare .... Alcuni entrano. Il fioraio è gentile e .... con tutti. Gli affari

vanno bene, ... Entrano due giovani che ne escono
.... dopo con un mazzo di fiori. ....
è normale, disperatamente normale... D'un ....
Grandini ha una rivelazione. Ma no, non è ....!
In quel negozio succede qualcosa di ...., qualcosa di
grave. Il commissario resta .... lì per diverse ore.
Questa volta ne è .... : il fioraio nasconde qualcosa...

CELI 3

3 Ascolta le previsioni e segna con una ✗ la lettera corrispondente
all'affermazione corretta.

1. Oggi la temperatura è:
   a. ☐ in diminuzione al Nord
   b. ☐ in aumento al Nord
   c. ☐ in aumento al sud

2. Oggi la nuvolosità è presente:
   a. ☐ solo al Nord
   b. ☐ al Nord e nelle regioni tirreniche
   c. ☐ al Centro-sud

3. Domani si prevedono:
   a. ☐ temperature in aumento e venti forti
   b. ☐ temperature stabili e venti da Sud-est
   c. ☐ venti da Sud-est e mari mossi

4. Si prevedono pioggie:
   a. ☐ al Centro-sud
   b. ☐ su Sardegna, Lombardia e Piemonte
   c. ☐ su Sardegna, Toscana e Lazio

Grammatica

Il verbo *stare*

Sapeva che suo marito stava conducendo un'indagine pericolosa.

Sta per rientrare *in casa: lascerà Melani a occuparsi dell'impresa.*

- **Stare + gerundio   Stare a + infinito**
  Si possono definire verbi progressivi ed evidenziano
  un'azione nel suo svolgersi:
  ***Sto ascoltando** il concerto.*
  ***Sto ad ascoltare** il concerto.*

- **Stare per** esprime la prossimità (in senso cronologico) di
  un'azione ed equivale a **essere sul punto di, essere in procinto
  di, essere lì lì per**:

	stava per	
Alle quattro del mattino, quando	*era sul punto di*	*assopirsi...*
	era in procinto di	
	era lì lì per	

---

1 **Trasforma alla forma progressiva i verbi in corsivo.**

> Non telefonargli, *dorme*!
> Non telefonargli, sta dormendo!

1. Come al solito, *legge* il giornale.
2. Laura è in casa, *fa* gli esercizi.
3. Non disturbateli, *studiano*!
4. Non parlargli, *guida*!
5. Claudio era in ufficio, *scriveva* una relazione.
6. Marco e Giuseppe erano indaffarati, *preparavano* una cena per quindici persone.
7. Non siamo potuti uscire lo scorso fine-settimana; ci *preparavamo* per l'esame.
8. Ti richiamo più tardi, i miei amici mi *aspettano* per uscire.

2 Completa le seguenti frasi secondo il modello.

L'aereo ...sta per...... decollare.

1. Sbrigati! Il treno .... partire!

2. .... telefonare al suo collega, poi ci ha ripensato.

3. Mentre .... uscire, mi sono ricordata che avevo lasciato le chiavi sul tavolo.

4. .... raggiungere gli altri turisti sull'autobus quando si sono accorti di non avere i bagagli.

5. Non cercateci al vecchio indirizzo: .... cambiare casa.

6. Porta l'ombrello: .... piovere.

7. Quando .... arrivare, telefonami; ti vengo a prendere alla stazione.

8. .... preparare la pizza quando mi sono accorta di non avere il lievito.

Competenze linguistiche

1 Trova il significato che corrisponde alle seguenti espressioni presenti nel testo.

1. Passare le notti in bianco

   a. ☐ dormire con pigiama o camicia da notte bianchi

   b. ☐ non dormire per preoccupazioni o divertimenti

   c. ☐ fare la settimana bianca

2. I pensieri si affollano nella mente

   a. ☐ i pensieri si susseguono in modo logico

   b. ☐ la mente è confusa

   c. ☐ i pensieri sorgono disordinatamente

3. Assopirsi

    a. ☐ addormentarsi

    b. ☐ svegliarsi

    c. ☐ sbrigarsi

4. Appostarsi

    a. ☐ avvicinarsi

    b. ☐ allontanarsi

    c. ☐ nascondersi

5. Chinarsi

    a. ☐ sedersi

    b. ☐ piegarsi

    c. ☐ alzarsi

Produzione scritta

1 **Il commissario Grandini ha osservato a lungo il negozio del fioraio e si è insospettito. Perché? Prova a formulare delle ipotesi.**

a. I clienti che entrano non escono più ....

....

b. I clienti escono tutti con lo stesso mazzo di fiori ....

....

c. Oppure ....

....

2 **Il fioraio ha molti clienti. Immagina un dialogo fra il fioraio e una signora molto indecisa e molto esigente.**

7

UN LOSCO TRAFFICO

D a quando sorveglia il negozio Grandini ha visto almeno una trentina di clienti fermarsi ed entrare. Almeno una decina di loro è uscita... con un mazzo di fiori identico in mano. Erano tutti giovani, alcuni con jeans rattoppati, [1] altri ben vestiti. C'erano anche delle ragazze: però tutti avevano lo stesso modo piuttosto strano di reggere il loro mazzo di fiori. In generale, quando si comprano dei fiori si portano delicatamente, con attenzione. Loro no... Grandini sospetta qualcosa. Ma che cosa si nasconderà in quei

1. **rattoppati** : riparati con toppe, pezze di stoffa.

mazzi di fiori? Forse dovrebbe andare a comprarne uno anche lui. Inutile: metterebbe la pulce nell'orecchio [1] al fioraio. Finalmente si decide: stasera rientrerà in servizio e seguirà il fioraio.

Alle sette è fuori: è andato in garage, ha preso la macchina e ora aspetta. Il fioraio abbassa la saracinesca [2] e si mette al volante del furgone. Grandini parte immediatamente dietro di lui. Non è abituato ai pedinamenti [3] in macchina: quando lavorava c'era sempre un collega a fargli da autista. Questa volta, invece, deve fare tutto da solo: deve stare attento a non farsi seminare [4] e ai semafori, a non perdere di vista il furgone e al tempo stesso, a non avvicinarsi troppo... Quella del pedinamento è un'arte! Ora sono usciti dalla città e hanno imboccato il raccordo anulare; [5] il furgone mette la freccia [6] a destra. Eccoli adesso su una stradina poco frequentata. Grandini deve tenersi a una certa distanza per non essere scoperto. Il furgone rallenta; il commissario si ferma e spegne i fari. Sente sbattere una portiera: evidentemente il fioraio è sceso. Grandini scende dall'auto e procede a piedi. È notte fonda, una notte gelida. Avanza con cautela, cercando di penetrare con lo sguardo l'oscurità. Ora è all'altezza del furgone: scorge una debole luce alla sua sinistra. Proviene da un vecchio edificio, una specie di deposito. Grandini si piega in avanti per non essere visto e continua ad avanzare. Poi si ferma, proprio

---

1. **metterebbe la pulce nell'orecchio :** (fig.) farebbe sospettare qualcosa.
2. **saracinesca :** porta scorrevole di metallo, a chiusura verticale.
3. **pedinamenti :** seguire qualcuno di nascosto.
4. **farsi seminare :** (fig.) farsi distaccare con facilità.
5. **raccordo anulare :** tratto di strada che gira intorno alla città.
6. **freccia :** segnalatore di direzione.

sotto la finestra. Deve assolutamente riuscire a vedere che cosa succede all'interno. Lentamente, rialza la testa. È proprio come sospettava: su un tavolo c'è una busta di plastica con della polvere bianca e, accanto, una piccola bilancia. Intorno al tavolo

tre uomini, il fioraio e due sconosciuti pesano un po' di polvere e ne mettono pochi grammi in una serie di bustine: stanno preparando delle dosi [1] di droga. Lavorano in silenzio. Grandini è sbalordito [2] ma comincia a capire: il fioraio, il

suo vicino, l'uomo che credeva di conoscere così bene, che saluta ogni mattina, è un trafficante di droga e si serve del suo negozio per spacciarla! [3] Sì, ma come catturarlo? Che fare? Da solo il commissario non può prendere nessuna iniziativa: decide allora di rientrare in città e di avvertire Melani. D'un tratto, però, lancia un urlo di dolore e crolla a terra privo di sensi. [4]

1. **dosi** : quantità determinata.
2. **sbalordito** : estremamente sorpreso.
3. **spacciarla** : venderla illegalmente.
4. **privo di sensi** : svenuto.

Comprensione

CELI 3

1 Rileggi il capitolo e segna con una ✗ la lettera corrispondente all'affermazione corretta.

1. Che cosa fa il commissario Grandini?
   - **a.** ☐ guarda il fioraio
   - **b.** ☐ controlla il fioraio
   - **c.** ☐ saluta il fioraio

2. Quanti clienti entrano dal fioraio?
   - **a.** ☐ più di trenta
   - **b.** ☐ meno di trenta
   - **c.** ☐ più o meno trenta

3. Che tipo di clienti nota con interesse il commissario?
   - **a.** ☐ clienti giovani e adulti vestiti bene e male
   - **b.** ☐ clienti giovani vestiti bene e male
   - **c.** ☐ clienti adulti vestiti bene e male

4. Come il commissario decide di seguire il fioraio?
   - **a.** ☐ entrerà nel negozio, comprerà dei fiori, seguirà il fioraio
   - **b.** ☐ non entrerà nel negozio, aspetterà, seguirà il fioraio
   - **c.** ☐ entrerà nel negozio, farà domande, seguirà il fioraio

5. Dove va il fioraio dopo il lavoro?
   - **a.** ☐ a casa di amici
   - **b.** ☐ in una serra
   - **c.** ☐ in un deposito

6. Che cosa fa il fioraio dopo il lavoro?
   - **a.** ☐ traffici illegali
   - **b.** ☐ una partita a carte
   - **c.** ☐ una passeggiata

2 **Hai buona memoria? Prova a completare il testo seguente.**

Il commissario Grandini vede che alcune giovani (1) ....
nel negozio del fioraio. Qualche minuto dopo (2) .... dal
negozio con dei mazzi di (3) .... uguali. Perché? Grandini
decide di controllare il (4) .... e lo segue in un posto
isolato, lontano (5) .... città. In un vecchio edificio nota
una (6) .... accesa e si avvicina alla finestra per
(7) .... che cosa succede: all'interno (8) il
fioraio con due persone: mettono (9) .... alcune bustine un
po' di (10) .... bianca: il fioraio quindi è un
(11) .... di droga. Improvvisamente, il commissario sviene
lanciando un (12) .... di dolore.

3 **Metti in ordine le seguenti frasi.**

1. commissario - Quando - sempre - lavorava - Grandini -
   il - collega - un - con - c'era - lui.

   ....

   ....

2. entrare - visto - circa - persone - nel - fioraio - Grandini -
   negozio - ha - trenta - del.

   ....

   ....

3. Tutti - giovani - clienti - mazzo - i - mano - in - fiori - e - di - un -
   avevano - erano.

   ....

   ....

4. andato - Il - garage - la - prendere - commissario - è - in -
   macchina - a.

   ....

   ....

4 Ascolta attentamente e scegli la parola realmente pronunciata fra le coppie di sinonimi tra parentesi.

Da quando .... (*sorveglia, controlla*) il negozio Grandini ha visto almeno .... (*trenta, una trentina*) di clienti fermarsi ed entrare. Almeno .... (*dieci, una decina*) di loro è uscita ... con un mazzo di fiori .... (*uguale, identico*) in mano. Erano tutti giovani, alcuni con jeans ...., (*rattoppati, rovinati*) altri .... (*ben vestiti, eleganti*). C'erano anche delle ragazze: però tutti avevano lo stesso modo piuttosto strano di .... (*portare, reggere*) il loro mazzo di fiori. In generale, quando si comprano dei fiori si portano delicatamente, con .... (*attenzione, precauzione*). Loro no... Grandini sospetta qualcosa. Ma che cosa si .... (*occulterà, nasconderà*) in quei mazzi di fiori? Forse dovrebbe andare a comprarne uno anche lui. Inutile: metterebbe la .... (*mosca, pulce*) nell'orecchio al fioraio. Finalmente si decide: stasera .... (*ritornerà, rientrerà*) in servizio e seguirà il fioraio.

Alle sette è fuori: è andato in garage, ha preso la macchina e ora .... (*aspetta, attende*). Il fioraio abbassa la .... (*serranda, saracinesca*) e si mette al volante del .... (*camion, furgone*). Grandini parte immediatamente dietro di lui. Non è abituato .... (*ai pedinamenti, agli inseguimenti*) in macchina: quando lavorava c'era sempre un .... (*collaboratore, collega*) a fargli da autista. Questa volta, invece, deve fare tutto da solo: deve stare .... (*pronto, attento*) a non farsi seminare ai semafori, a non perdere .... (*di vista, d'occhio*) il furgone e al tempo stesso a non .... (*avvicinarsi, accostarsi*) troppo... Quella del pedinamento è un'........................ (*abilità, arte*)!

Grammatica

Il futuro

- Il futuro esprime un fatto o un'azione che si realizzerà in un tempo futuro prossimo o lontano:
  *Stasera **rientrerà** in servizio e **seguirà** il fioraio.*

- Può anche essere usato come **forma attenuata dell'imperativo**:
  *Adesso ti **alzerai** e te ne **andrai**.*

- Si usa anche per esprimere **dubbio, incertezza**:
  *Che cosa **si nasconderà** in quei mazzi di fiori?*
  *È già buio. Che ore **saranno**?*

- Nelle **frasi ipotetiche** quando l'ipotesi appare reale e richiede pertanto il modo indicativo:
  *Se **andrà** a comprarne uno, **metterà** la pulce nell'orecchio al fioraio.*

1 Trasforma le seguenti frasi secondo il modello.

Non so che cosa si nasconde in quei mazzi.

Che cosa si nasconderà in quei mazzi?
....

1. Non so chi mi scrive.

....

2. Non so che ore sono.

....

3. Non so quanto pesano queste valigie.

....

4. Non so quanti anni ha.

....

5. Non so quando arriva Stefano.

....

2 Trasforma le seguenti frasi usando il periodo ipotetico.

Grandini sorveglia il negozio e vede entrare molti giovani.

Se Grandini sorveglierà il negozio, vedrà entrare molti giovani.

1. Grandini segue il fioraio e capisce tutto.

....

2. Grandini sta attento e non si fa seminare.

....

3. Grandini si tiene a una certa distanza e non viene scoperto.

....

4. Grandini guarda dalla finestra e scopre il traffico di droga.

....

5. Grandini riesce a tornare in città e avverte Melani.

....

Competenze linguistiche

1 Collega le parole della colonna di sinistra con quelle di destra in base a criteri associativi. Ricorda che non sono necessariamente in relazione con il poliziesco che stai leggendo.

1. ☐ traffico	a. commesso
2. ☐ freccia	b. macchina
3. ☐ anulare	c. anello
4. ☐ deposito	d. profumo
5. ☐ spaccio	e. arco
6. ☐ fiore	f. soldi
7. ☐ negozio	g. stupefacenti

CELI 3

2 Completa il testo inserendo le parole mancanti negli spazi numerati.

Operazione delle fiamme gialle nel centro di S. Benedetto del Tronto

Un cane «finanziere» scova settanta grammi di cocaina

Sarebbe in corso una grossa indagine negli ambienti della S. Benedetto bene

Un cane finanziere scopre 70 grammi di cocaina. Questi i fatti. Ieri notte i finanzieri (1) .... compagnia di S. Benedetto, (2) .... l'appoggio di un'unità cinofila giunta dal vicino Abruzzo, hanno fermato un noto pregiudicato campano dell'età di 57 (3) .... di cui non sono state rese note le generalità. I militari, con l'aiuto del bravo cane «Robur», sono entrati (4) .... domicilio (in pieno centro) dell'uomo in questione (5) .... hanno provveduto ad una perquisizione. Il bravissimo finanziere a quattro zampe (6) .... permesso, mettendo in azione il suo fiuto, (7) .... individuare (8) .... recuperare ben 70 grammi di cocaina. Il pregiudicato campano, già noto in questura, è (9) .... segnalato alla Procura della Repubblica. Proseguono intanto (10) .... indagini sul filone della

cocaina. (11) .... investigatori della Guardia (12) .... Finanza, comunque, ritengono (13) .... l'indagine in corso possa portare, entro breve (14) ...., (15) .... sviluppi anche eclatanti, soprattutto in ragione di una presunta diffusione (16) .... cocaina (17) .... i personaggi della S. Benedetto 'bene'.

Produzione scritta

1 Inventa il dialogo tra il fioraio e i suoi complici mentre preparano le dosi di droga.

2 Il commissario urla di dolore e sviene. Prova a immaginare cos'è successo.

   a. Un complice ....

   b. Il commissario ha avuto un attacco cardiaco.................................

   ....

   c. Oppure ....

   ....

CELI 3

3 Grandini esce di casa per andare al commissariato. Un uomo in macchina si accosta al marciapiede per chiedergli dove si trova un vecchio deposito appena fuori città. Il commissario gli fornisce le indicazioni necessarie.
Ricostruisci l'itinerario dalle informazioni presenti nel capitolo, quindi immagina il dialogo.

(80-100 parole)

....

....

....

....

....

....

....

....

....

....

8

IN TRAPPOLA!

Grandini non si era accorto di un quarto uomo che stava fuori di guardia. Quando riprende conoscenza la testa gli fa terribilmente male. Non si può dire che questi criminali abbiano la mano leggera! Apre gli occhi, vorrebbe massaggiarsi la nuca dolorante, ma si accorge che è impossibile: si trova per terra con mani e piedi legati. I tre banditi lo osservano. Il fioraio parla per primo:

– Allora, commissario, la credevo in pensione!

– È lei! Perché ha ucciso mia moglie?

– Sua moglie? ... È stato un incidente di percorso, [1] commissario. Ma lei, perché mi ha seguito? Che peccato! La trovavo così simpatico...

---

1. **incidente di percorso** : (fig.) fatto casuale, fortuito, non previsto.

– Che cosa ha intenzione di fare? Lei è pazzo! Vi prenderanno: i miei colleghi mi cercheranno e vi troveranno.

Il fioraio ha smesso di preparare le dosi: si avvicina a Grandini che si dibatte cercando disperatamente di liberarsi.

– La cercheranno, commissario, e la troveranno. Ma troppo tardi. Penseranno tutti che lei non sia riuscito a sopportare il dolore per la scomparsa [1] di sua moglie. Non le resta altro da fare. Lei si impiccherà, signor commissario. Crederanno tutti all'ipotesi del suicidio.

Gli uomini hanno finito il lavoro. Gli slegano i piedi.

– Forza! Si alzi e faccia il bravo!

Un bandito punta la pistola contro di lui. Due degli uomini salgono sul furgone; il fioraio indica a Grandini la sua auto:

– Salga, commissario. Ma questa volta guido io. Troveremo un bel bosco, un bell'albero... non qui: nessuno deve sapere che lei è stato qui stasera!

Il furgone è partito per primo. Dietro, nell'auto, Grandini trema di paura. Questa è gente che non scherza: la sua ultima ora è arrivata. Ha scoperto troppe cose: un traffico di droga, un'organizzazione perfetta. Ma sua moglie... perché? Dopo diversi chilometri raggiungono l'imboccatura [2] di un sentiero di

1. **scomparsa** : morte.
2. **imboccatura** : apertura da cui si entra, si passa in qualche luogo.

campagna. Il furgone si ferma, l'auto procede ancora per qualche centinaio di metri e poi anche il fioraio si ferma.

– Ecco, questo è il posto ideale! E comincia a nevicare! Siamo decisamente fortunati: non dovremo neanche fare la fatica di cancellare le tracce!

Il secondo uomo spinge Grandini fuori dalla macchina: ha in mano una corda e fa un nodo scorsoio. [1]

– Su, commissario, andiamo. Sono veramente spiacente. Avrebbe fatto meglio a godersi la pensione, a leggere qualche libro, che so... ad andare a pesca!

Il commissario avanza di alcuni passi: è rassegnato, sa che non se la caverà. [2] È vero: avrebbe fatto meglio a godersi la pensione; tutti quei guai se li è andati a cercare. Perché si è lasciato incuriosire da quella banconota? Perché ha voluto giocare a Sherlock Holmes? Almeno sua moglie sarebbe ancora viva... e lui... anche lui... Sarebbero potuti partire, avrebbero potuto prendersi una vacanza insieme...

– Ma mia moglie! Perché l'avete uccisa? Almeno ditemi questo!

– Ormai non ha più importanza, commissario. Comunque, non ha sofferto, non si è resa conto di niente.

FINE

Sono ai piedi di un albero: il fioraio regge uno sgabello [3] pieghevole che ha preso dal bagagliaio, [4] uno sgabello che Grandini portava con sé per andare a pesca, in primavera. Ora lo ha messo sotto l'albero e ha fissato la corda a un grosso ramo:

– Addio commissario! Sono desolato!

---

1. **nodo scorsoio** : che può scorrere, tipico delle impiccagioni.
2. **non se la caverà** : non riuscirà a uscirne vivo.
3. **sgabello** : sedia senza spalliera.
4. **bagagliaio** : spazio posteriore della macchina per mettere le valigie.

Comprensione

CELI 3

1 Rileggi il capitolo e segna con una ✗ la lettera corrispondente all'affermazione corretta.

1. Il commissario non ha notato un uomo che
   a. controllava il deposito
   b. passava vicino al deposito
   c. stava nel deposito

2. Quando apre gli occhi, il commissario
   a. ha un forte mal di schiena
   b. ha un forte mal di testa
   c. ha un forte male al collo

3. Il fioraio vuole uccidere il commissario
   a. nel bosco
   b. nel deposito
   c. in macchina

4. Il commissario è
   a. impaurito
   b. nervoso
   c. arrabbiato

5. La morte del commissario dovrebbe figurare come
   a. un suicidio
   b. un incidente
   c. un omicidio

6. Il commissario avrebbe dovuto
   a. godersi la pensione
   b. andare a lavorare
   c. andare a pesca in primavera

2 Hai buona memoria? Prova a completare il testo seguente.

Grandini non si era accorto che c' .... un uomo fuori
dall'edificio. Quell'uomo l' .... colpito. Quando rinviene il
commissario ha un forte .... alla testa.

Per prima cosa il commissario .... al fioraio perché ha
ucciso sua ...., ma il fioraio .... gli risponde. I
quattro uomini .... deciso .... portare Grandini in
un .... per impiccarlo. La polizia crederà che si tratti di
....

Grandini sale sulla sua .... assieme al .... Mentre
i due sono in viaggio, il commissario non smette.............domandarsi
.... abbiano ucciso sua moglie.

Una volta arrivati, uno dei quattro uomini prende in mano una
.... e .... scendere dalla macchina Grandini.

3 Ascolta attentamente e correggi quando necessario.

Su, commissario, andiamo. Sono davvero spiacente. Avrebbe fatto
meglio a godersi la pensione, a leggere qualche libro, che so... ad
andare a pesca...

Il commissario procede di alcuni passi: è rassegnato, sa che non ce la
farà. È vero: avrebbe fatto meglio a godersi il riposo; tutti quei
problemi se li è andati a cercare. Perché si è fatto incuriosire da
quella banconota? Perché ha voluto recitare il ruolo di Sherlock
Holmes? Almeno sua moglie sarebbe ancora viva... e lui ... anche
lui... Avrebbero potuto fare un viaggio, avrebbero potuto prendersi
una vacanza insieme...

– Ma mia moglie! Perché l'avete ammazzata? Almeno ditemi
  questo!

– Ormai non ha più senso, commissario. Comunque, non ha
  sofferto, non si è accorta di niente.

Grammatica

La forma di cortesia

La forma di cortesia (**dare del Lei**) si utilizza **solo al singolare** e quando non si ha confidenza con l'interlocutore:

(Tu) hai mangiato?   *(Lei) ha mangiato?*
(Voi) avete mangiato?   *(Voi) avete mangiato?*

- Il **verbo** è alla 3° persona.

- I **possessivi** (pronomi e aggettivi) sono alla 3° persona:
  – *È la tua borsa?*   *È la sua borsa?*
  – *È la tua.*   *È la sua.*

- I **pronomi personali** sono alla 3° persona singolare femminile:
  – *Lei ha mangiato.* (sogg.)   – *La vedrò.* (compl. ogg.)
  – *Le telefonerò.* (compl. termine) – *Si sente bene?* (riflessivo)

Tuttavia, l'attributo e il participio passato si concordano con la persona a cui ci si rivolge:
– *Lei è stato comprensivo,* **Signore**. – *Lei è stata comprensiva,* **Signora**.

Imperativo

Poiché all'imperativo manca la 3° persona singolare, nella forma di cortesia si utilizza il **congiuntivo presente**:
Si alzi e faccia il bravo! Salga, commissario!

- I **pronomi personali** precedono sempre il verbo, anche alla forma negativa:
  Lo inviti! (sogg.)   *Ci apra!* (compl. termine)   *Si alzi!* (riflessivo)
  Non lo inviti!   *Non ci apra!*   *Non si alzi!*

---

1 **Trasforma le seguenti frasi pronunciate dal fioraio e dal commissario. Ricordati che i due si danno del Lei.**

1. Sbrigati a slegarmi!
2. Lasciami! I miei colleghi ti cercheranno e ti troveranno.
3. Alzati e fa' il bravo!
4. Accomodati in macchina.
5. Rassegnati! Avresti fatto meglio a goderti la pensione!
6. Dimmi almeno perché hai ucciso mia moglie.

2 Coniuga i verbi tra parentesi all'imperativo.

- Nessuna notizia?
- Nessuna.
- Nessuna brutta notizia?
- No.
- Ma (*accomodarsi*) ....! Lei dovrebbe essere stanco, Signor Holmes immagino!
- Grazie.
- (*Scusami*) .... se troverà qui una sistemazione di fortuna, ma la scomparsa di mio marito mi ha fatto perdere la testa.
- Non (*scusarsi*) .... , cara Signora, se potrò essere di aiuto, ne sarò davvero felicissimo.
- E ora prego, Signor Holmes, (*ascoltarmi*) .... e (*rispondermi*) ....
- Con piacere, Signora.
- Non (*preoccuparsi*) .... dei miei sentimenti: non sono né isterica, né facile agli svenimenti. Desidero soltanto conoscere la sua opinione.
- A che proposito?
- (*Dirmi*) .... sinceramente: in fondo al suo cuore, è convinto che Neville sia ancora vivo?

Libera riduzione da *"L'uomo dal labbro storto"* di Arthur Conan Doyle

3 Completa le frasi inserendo il pronome personale corretto.

a. .... posso offrire questo libro, signore?

b. .... avverto che non .... posso aiutare.

c. .... faccia portare in macchina.

d. .... potrò incontrare domani?

e. Mi piacerebbe parlar ...., signor Rossi.

f. Signorina, ... deve dirmi tutto.

Competenze linguistiche

1 Trova la definizione esatta delle seguenti espressioni presenti nel testo.

1. Cavarsela
   a. ☐ levarsi
   b. ☐ sapersi disimpegnare
   c. ☐ uscire da una situazione difficile

2. Incidente di percorso
   a. ☐ incidente stradale
   b. ☐ imprevisto
   c. ☐ disgrazia

3. Dibattersi
   a. ☐ agitarsi violentemente
   b. ☐ discutere vivacemente
   c. ☐ battere insistentemente

4. Impiccarsi
   a. ☐ strangolarsi
   b. ☐ arrangiarsi
   c. ☐ uccidersi con la punta di una lancia

5. Nodo scorsoio
   a. ☐ nodo insolubile
   b. ☐ nodo regolabile tirando la corda
   c. ☐ nodo inestricabile

6. Rassegnarsi
   a. ☐ adattarsi
   b. ☐ accettare l'inevitabile
   c. ☐ dimettersi

Produzione scritta

1 Immagina che, per paura di morire, il commissario decida di accordarsi con il fioraio. Immagina il dialogo, servendoti dei seguenti spunti:

– Grandini insiste sul fatto che il fioraio verrà smascherato.

– Il fioraio gli crede. Il commissario verrà risparmiato se darà garanzie del suo silenzio riguardo l'omicidio e il traffico di droga.

– Il commissario promette e viene liberato.

....

....

....

....

....

....

....

....

(80-100 parole)

2 Considera la scena immaginata nell'esercizio precedente. Il commissario si trova di fronte a un bivio e deve prendere una decisione davvero importante: avrà salva la vita se non denuncerà l'assassino di sua moglie.

Tu che cosa avresti fatto? Giustifica la tua posizione.

....

....

....

....

....

....

....

....

(80-100 parole)

9

È TUTTO CHIARO!

randini si dibatte tentando disperatamente di liberarsi: il fioraio e il suo complice lo sollevano di peso. [1] D'un tratto, il bosco si illumina a giorno.

– Polizia! Nessuno si muova!

L'ordine è stato così improvviso che i due delinquenti non hanno il tempo di accennare [2] un solo gesto. Due poliziotti li hanno già immobilizzati. Grandini lancia un grido:

– Melani! Come hai fatto a trovarmi?

– Buona domanda, commissario! E lei? È contento di vedermi, questa volta?

Melani stringe la mano tremante di Grandini visibilmente commosso.

---

1. **sollevano di peso** : alzano da terra di slancio, in un solo sforzo.
2. **accennare** : iniziare, abbozzare.

– Ma spiegami: come hai fatto?

– La sorvegliavo, commissario: sapevo bene che aveva intenzione di tentare qualcosa, di cercare l'assassino. Anch'io, quando voglio, ho un po' d'intuito... Forza, tutti alla Centrale. Chiariremo finalmente ogni cosa!

All'alba, rientrando a casa, Grandini ripensa a tutte le rivelazioni della notte. Sorride all'idea di aver aspettato di andare in pensione per scoprire un massiccio traffico di droga che si svolgeva da mesi sotto il suo naso, sotto le sue finestre! Il fioraio ha ormai confessato e spiegato tutto. Sì, aveva messo in piedi una perfetta organizzazione criminale che copriva con la sua attività commerciale. Come molti fiorai dava a ogni cliente un sacchettino con della polvere bianca da mettere nell'acqua per far resistere i fiori più a lungo. Ma, in alcuni di questi sacchettini, metteva della droga. Per farsi riconoscere, i suoi clienti 'particolari' dovevano pronunciare una parola d'ordine, una frase prestabilita. Pagavano e uscivano dal negozio con un normalissimo mazzo di fiori... ma soprattutto con la loro dose.

Da giorni Grandini non aveva trovato una risposta alla domanda che sempre più lo angosciava:

– Ma mia moglie? Perché?

Questa volta finalmente il fioraio aveva raccontato tutto... Era andato a consegnare il mazzo di rose verso mezzogiorno, come convenuto. La signora Grandini aveva lodato la bellezza e il profumo dei fiori e, chiacchierando, si era messa a togliere il cellofan che li avvolgeva. Aveva preso il sacchettino... e in quell'istante il fioraio si era accorto che c'era stato un errore: quella era droga! E lei, lei continuava a chiacchierare:

– Mi dica, che cosa c'è in questo sacchettino?

– Non so di preciso, una specie di conservante per fiori recisi... [1]

– Ma è una polvere miracolosa! L'ultima volta le mie rose sono durate più di una settimana! Adoro avere dei fiori in casa... Sapendo che cos'è esattamente potrei comprarne un'intera confezione!

– Esattamente non so. Le ripeto: una specie di aspirina...

La signora Grandini si era messa a ridere:

– Aspirina per i fiori! Non è possibile! Guardi, voglio proprio farla analizzare per sapere... potrei chiederlo a mio marito: i suoi ex-colleghi del laboratorio chimico lo farebbero volentieri!

Queste ultime parole avevano fatto impallidire il fioraio. Nel frattempo il telefono si era messo a squillare nello studio e la signora era andata a rispondere. Era Melani che chiamava il commissario per la famosa banconota. Il fioraio l'aveva seguita e, quando lei aveva abbassato il ricevitore, l'aveva colpita con un pesante portacenere, una sola volta, alla nuca. Poi aveva ripreso le rose, il cellofan e il sacchetto con la droga. Se ne era andato ed era tornato verso le due, fingendo [2] di voler consegnare le rose.

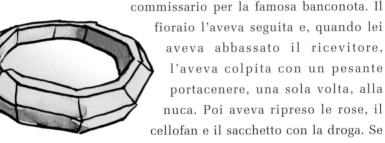

Dopo aver ascoltato la confessione, il commissario, sconvolto, aveva stretto forte la mano di Melani.

---

1. **recisi** : tagliati.
2. **fingendo** : facendo finta.

ROSE ROSSE PER IL COMMISSARIO

– Grazie, Melani, e buona fortuna... Ti lascio il mio posto senza rimpianti: non potrei fare mai più questo mestiere.

Era molto triste: sua moglie era morta per niente, per qualche parola detta un po' a caso. Grandini voleva andar via e restare solo con il suo dolore.

– Aspetti commissario! Non se ne vada! Le devo dire una cosa importantissima: sua moglie l'aspetta!

– Che cosa? Che cosa dici? Sei impazzito?

– No, commissario; sua moglie non è morta, ma era in coma. [1] Ci perdoni! Abbiamo dovuto mentire per la sicurezza della signora stessa: l'assassino, sapendola viva, avrebbe potuto cercare di eliminarla una seconda volta. Ma ho una notizia ancora più bella da darle: è uscita dal coma da qualche ora. Se la caverà, commissario. Venga, l'accompagno in ospedale...

---

1. **coma** : condizione caratterizzata dalla perdita di coscienza, di movimento, di sensibilità.

Comprensione

CELI 3

1 **Leggi il capitolo e rispondi alle domande.** *(10-25 parole)*

1. Perché il commissario si dibatte?

   ....

   ....

2. Perché la polizia è presente e pronta a intervenire?

   ....

   ....

3. Come il fioraio vendeva la droga ai suoi clienti?

   ....

   ....

4. Perché il fioraio ha colpito la signora Grandini?

   ....

   ....

5. Che cosa comunica Melani al commissario?

   ....

   ....

2 **Completa il brano seguente con le preposizioni semplici e articolate.**

Il fioraio e i suoi complici stanno .... impiccare il
commissario che cerca disperatamente .... liberarsi.

A un tratto arriva la polizia che illumina il bosco ....
giorno. Melani aiuta il commissario .... liberarsi; poi le
forze dell'ordine portano il fioraio e i complici ....
Centrale. Il fioraio racconta come spacciava la droga: la nascondeva
bene nei mazzi .... fiori. La moglie ....
commissario aveva trovato la droga e il fioraio l'aveva colpita
.... un portacenere molto pesante. Ma la signora Grandini è
viva, è uscita .... coma. Ora aspetta il marito ....
ospedale.

3 Ascolta attentamente e trascrivi le parole mancanti.

All'alba, rientrando a casa, Grandini .... tutte le
rivelazioni della notte. .... all'idea di aver aspettato
di andare in .... per scoprire un massiccio traffico di
.... che si svolgeva da mesi sotto il
.... naso, sotto le sue finestre! Il ....
ha ormai confessato e spiegato tutto. Sì, ... messo in
piedi una .... criminale che
copriva con la sua attività commerciale. .... molti
fiorai dava a ogni .... un sacchettino con della
polvere bianca da .... nell'acqua per far resistere i
.... più a lungo. Ma, in alcuni di questi
............................, metteva della droga. Per farsi riconoscere, i suoi
clienti 'particolari' .... pronunciare una parola
d'ordine, una .... prestabilita. Pagavano e uscivano
dal negozio con un .... mazzo di fiori... ma
soprattutto con la loro ....
Da .... Grandini non aveva trovato una
.... alla domanda che sempre più lo angosciava:
– Ma mia moglie? Perché?
Questa volta .... il fioraio aveva raccontato tutto...

Grammatica

Stesso

Nel suo significato più frequente di '**medesimo, uguale**', stesso ha
valore di aggettivo o di pronome:
*Abitiamo nello **stesso** quartiere.*
*In classe ci sono venti alunni, ma sono sempre gli **stessi** che disturbano.*
A seconda della posizione, **l'aggettivo 'stesso' assume diversi significati:**

* Quando segue il nome significa "proprio, in persona":

  *Il comandante **stesso** annuncia il decollo ai passeggeri.*

* Quando precede il nome significa "anche, persino":

  *Il cielo era così nuvoloso che lo **stesso** comandante aveva paura.*

1 Completa le seguenti frasi usando il pronome o aggettivo dimostrativo variabile 'stesso'. Attenzione alla posizione!

1. Frequentano gli .... amici.

2. Il /Lo .... presidente .... si è congratulato con lui.

3. Tu .... hai capito di aver commesso un errore.

4. Ho acquistato una maglia e dei pantaloni del/lo .... colore ....

5. È il .... colore .... che rende il vestito sportivo.

6. Sono sempre gli .... che protestano.

7. Paola e Chiara hanno l'/la .... età ....

8. L'/La .... età .... complica le cose con i genitori.

2 Analizza la funzione grammaticale e il significato della parola 'stesso' nelle frasi dell'esercizio precedente. Segna con una ✗ le caselle corrispondenti alla risposta corretta.

	Funz. gramm.		Significato	
	agg.	pron.	medesimo	proprio
1.				
2.				
3.				
4.				
5.				
6.				
7.				
8.				

Grammatica

I modi indefiniti: l'infinito, il participio, il gerundio

I modi indefiniti hanno tutti due tempi: il **presente** e il **passato**.

- L'**infinito** può avere la funzione di verbo o di sostantivo.
  Quando viene usato come **sostantivo**, può essere preceduto dall'articolo o dalla preposizione articolata:
  L'andare e il venire della gente mi infastidiva.

- Il **participio presente** ha prevalentemente valore nominale, si usa cioè come aggettivo e, meno spesso, come sostantivo.
  *Melani stringe la mano **tremante** di Grandini.* (agg.)
  *La ragazza, vittima del furto, non sapeva come richiamare l'attenzione dei rari **passanti**.* (sost.)

  Il participio presente non è molto usato con valore verbale:
  *Ha assistito a una conferenza **riguardante** l'economia italiana.*

- Il **participio passato** ha, come il presente, valore nominale e verbale. Può avere cioè funzione di:

  – aggettivo (*è una persona **raffinata***);

  – parte nominale (*sono **abituati** a tutto*);

  – sostantivo (*gli **invitati** sono arrivati in ritardo*).

  Serve inoltre per formare i tempi composti e, spesso, compare da solo. (***Finito** il corso, tornerà nel suo paese.*)

- Il **gerundio** ha valore temporale, causale, modale e condizionale:
  *Grandini si dibatte **tentando** di liberarsi.* (modo)
  *All'alba, **essendo rientrato** a casa, Grandini ripensa alle rivelazioni del fioraio.* (tempo)
  *L'assassino, **sapendola** viva, poteva cercare di eliminarla.* (causa)
  ***Avendo saputo**, mi sarei comportato diversamente!* (condizione)

1 Coniuga i verbi tra parentesi al modo opportuno (gerundio presente e passato, participio passato).

Grandini ha avuto una brillante intuizione. (*Pedinare*)
.... il fioraio, arriva nei pressi di un edificio fatiscente, una specie di deposito. (*Piegarsi*) .... in avanti per non essere visto, si dirige verso una finestra. (*Rialzare*)
.... la testa, vede il fioraio e due complici che stanno (*preparare*) .... dosi di droga.
Non (*accorgersi*) .... che un quarto uomo stava di guardia, finisce prigioniero dei tre banditi.
(*Temere*) .... la polizia, i tre criminali vogliono sbarazzarsi subito del commissario. Lo fanno salire in macchina e, (*giungere*) .... in prossimità di un sentiero di campagna, si fermano. (*Fissare*) .... una corda a un grosso ramo, (*mettere*) .... uno sgabello sotto l'albero, il fioraio e il suo complice sollevano di peso Grandini.

2 Scrivi il passato delle seguenti forme verbali.

1. essendo   ....
2. avere   ....
3. dibattendosi   ....
4. amante   ....
5. diventare   ....
6. sorridente   ....
7. venendo   ....
8. chiarire   ....
9. apparente   ....

3 Sostituisci la proposizione relativa con il participio presente corrispondente.

Es. *È uno che canta.*   *È un cantante.*

1. È una cosa che diverte   ....

2. È uno che insegna   ....

3. È una cosa che conviene   ....

4. È una ragazza che attrae   ....

5. È un luogo che ristora   ....

Competenze linguistiche

1 Trova la definizione esatta delle seguenti espressioni presenti nel testo.

1. Accennare un solo gesto
   - a. ☐ salutare con la mano
   - b. ☐ fare un movimento
   - c. ☐ mimare un gesto

2. Mettere in piedi un'attività
   - a. ☐ intraprendere un'attività commerciale nuova
   - b. ☐ potenziare un'attività commerciale già iniziata
   - c. ☐ innalzare un edificio in cui svolgere un'attività commerciale

3. Come convenuto
   - a. ☐ come stabilito
   - b. ☐ come sempre
   - c. ☐ come mai

4. Avere rimpianto
   - a. ☐ piangere
   - b. ☐ avere un ricordo nostalgico e triste
   - c. ☐ compiangere

CELI 3

2 Completa il testo inserendo le parole mancanti negli spazi numerati.

NON ABBIAMO BISOGNO DI EROI, FIGURIAMOCI DI EROINA

"Hanno ucciso l'Uomo Ragno e anche Superman non se la passa poi tanto bene. È il nostro momento!

Ci chiamano la Generazione X, ma (1) .... meglio che ci chiamassero per (2) .... : Alex, Piero, Mara, Niki...

Di sicuro, non vogliamo fare una croce sopra i problemi, sopra gli altri o noi stessi. Tra i ragazzi (3) .... conosco c'è (4) .... prova gusto (5) .... essere intelligente. Chi non rinuncia ad affrontare il mondo. Chi sa divertirsi senza dipendere (6) .... una bottiglia, (7) .... pasticche o (8) .... altre droghe.

Ora, io non voglio fare prediche (9) .... amici, ma penso (10) .... al mondo ci sia di meglio (11) .... droga: basta guardarsi in giro! (Tra parentesi, che (12) .... dite della biondina in terza fila?)"

Libera riduzione dalla pubblicità della Presidenza del Consiglio dei Ministri.

Produzione scritta

1 La storia è finita bene: il commissario è salvo e sua moglie guarirà presto. Immagina e racconta cosa faranno dopo questa brutta avventura.

....
....
....

....
....
....
....
....
....

2 Immagina un altro finale per la storia, lieto o tragico che sia.

....
....
....
....
....
....
....
....
....

CELI 3

3 Immagina la testata del quotidiano locale di domani. Improvvisati giornalista e scrivi un articolo d'effetto.

....
....
....
....
....
....
....
....
....

E per concludere...

1. Quale altro regalo d'anniversario avrebbe potuto fare il commissario Grandini alla moglie?

   ....

   ....

   ....

2. Che cosa sarebbe successo?

   ....

   ....

   ....

3. Che cosa regala la signora Grandini al marito?

   ....

   ....

   ....

4. Quali sono gli hobby del commissario Grandini, ormai in pensione?

   ....

   ....

   ....

5. A quali altre attività possono dedicarsi i pensionati oggi?

   ....

   ....

   ....

6. In quale momento dell'anno si è svolta l'intera vicenda?
   Da che cosa lo deduci?

   ....

   ....

   ....

Pagina 89 n. 3

1. le / 2. l' - la / 3. mi / 4. la /
5. le / 6. lei.

Pagina 90 n. 1

1. c / 2. b / 3. a / 4. a. / 5. b / 6. b.

Pagina 98 n. 2

Per/di/a/a/alla/di/del/con/dal/all'

Pagina 100 n. 1

1. Frequentano gli stessi amici. /
2. Il presidente stesso si è
congratulato con lui. / 3. Tu stesso
hai capito di aver commesso un
errore. / 4. Ho acquistato una
maglia e dei pantaloni dello stesso
colore. / 5. È il colore stesso che
rende il vestito sportivo.
6. Sono sempre gli stessi che
protestano. / 7. Paolo e Chiara
hanno la stessa età. / 8. L'età stessa
complica le cose con i genitori.

Pagina 100 n. 2

	Funz. gramm.		Significato	
	agg.	pron.	medesimo	proprio
1.	X		X	
2.	X			X
3.	X		X	
4.	X		X	
5.	X			X
6.		X	X	
7.	X		X	
8.	X			X

Pagina 102 n. 1

Avendo pedinato/piegatosi/
rialzando/preparando/essendosi
accorto/temendo/giunti/fissata/messo

Pagina 102 n. 2

1. essendo stato / 2. aver avuto /
3. essendosi dibattuto / 4. amato /
5. essere diventato / 6. sorriso /
7. essendo venuto / 8. aver
chiarito / 9. apparso

Pagina 103 n. 3

1. È una cosa divertente. / 2. È un
insegnante. / 3. È una cosa
conveniente. / 4. È una ragazza
attraente. / 5. È un ristorante.

Pagina 103 n. 1

1. b / 2. a / 3. a / 4. b

Pagina 104 n. 2

1. sarebbe / 2. nome / 3. che / 4. chi /
5. a / 6. da / 7. da / 8. da / 9. agli /
10. che / 11. della / 12. ne

Pagina 58 n. 1

1. rispondere / 2. venire /
3. trascorrere / 4. rimanere / 5. fare /
6. mettere - uscire / 7. scrivere /
8. perdere

Pagina 58 n. 2

1. ha sentito - ha trovato /
2. hanno notato / 3. ha preso /
4. ha interrogato / 5. ha chiesto -
ha trascorso / 6. ha stabilito /
7. ha cercato - ha trovate /
8. ha cominciato

Pagina 59 n. 3

1. I suoi amici sono usciti alle
nove. / 2. Noi siamo andati in giro
per la città. / 3. Le sue amiche
sono salite sul campanile di
Giotto. / 4. Voi siete scesi in fretta.
5. Loro sono passati da Anna. /
6. Noi siamo rimasti da lei tutto il
pomeriggio. / 7. Le mie amiche
sono rientrate a casa tardi. /
8. Silvia si è innamorata di lui.

Pagina 59 n. 1

Pagina 60 n. 2

1. Triste - allegro / 2. Felice - infelice /
3. Chiaro - scuro / 4. Innocente -
colpevole / 5. Stanco - riposato /
6. Facile - difficile

Pagina 60 n. 3

1. a / 2. b / 3. a / 4. c / 5. b

Pagina 61 n. 4

d. 1 / a. 2 / e. 3 / b. 4 / c. 5 / f. 6

Pagina 68 n. 4

1. b / 2. b / 3. c / 4. c

Pagina 69 n. 1

1. Sta leggendo / 2. sta facendo /
3. stanno studiando / 4. sta
guidando / 5. stava scrivendo /
6. stavano preparando / 7. stavamo
preparando / 8. stanno aspettando

Pagina 70 n. 2

1. sta per / 2. stava per / 3. stavo per /
4. stavano per / 5. stiamo per /
6. sta per / 7. stai per / 8. stavo per

SOSTANTIVI	AGGETTIVI	AVVERBI
intelligenza	intelligente	intelligentemente
tristezza	triste	tristemente
felicità	felice	felicemente
chiarezza	chiaro	chiaramente
innocenza	innocente	innocentemente
stanchezza	stanco	stancamente
facilità	facile	facilmente

Pagina 70 n. 1

1. b / 2. c / 3. a / 4. c / 5. b .

Pagina 76 n. 1

1. b. / 2. c. / 3. b. / 4. b. / 5. c. / 6. a.

Pagina 77 n. 2

1. entrano / 2. escono / 3. fiori / 4. fioraio / 5. dalla / 6. luce / 7. vedere / 8. c'è / 9. in / 10. polvere / 11. trafficante / 12. urlo

Pagina 77 n. 3

1. Quando il commissario Grandini lavorava c'era sempre con lui un collega. / 2. Grandini ha visto entrare nel negozio del fioraio circa trenta persone. / 3. I clienti erano tutti giovani e avevano in mano un mazzo di fiori. / 4. Il commissario è andato a prendere la macchina in garage.

Pagina 79 n. 1

1. Chi mi scriverà? / 1. Che ore saranno? / 2. Quanto peseranno queste valige? / 3. Quanti anni avrà? / 4. Quando arriverà Stefano?

Pagina 80 n. 2

1. Se Grandini seguirà il fioraio, capirà tutto. / 2. Se Grandini starà attento, non si farà seminare. / 3. Se Grandini si terrà a una certa distanza, non verrà scoperto. / 4. Se Grandini guarderà dalla finestra, scoprirà il traffico di droga. / 5. Se Grandini riuscirà a tornare in città, avvertirà Melani.

Pagina 80 n. 1

1. b / 2. e / 3. c / 4. f / 5. g / 6. d / 7. a

Pagina 81 n. 2

1. della / 2. con / 3. anni / 4. nel / 5. e / 6. ha / 7. di / 8. e / 9. stato / 10. le / 11. Gli / 12. di / 13. che / 14. tempo / 15. a / 16. della / 17. tra.

Pagina 86 n. 1

1. a / 2. b / 3. a / 4. a / 5. a / 6. a

Pagina 88 n. 1

1. Si sbrighi a slegarmi! / 2. Mi lasci! I miei colleghi la cercheranno e la troveranno. / 3. Si alzi e faccia il bravo! / 4. Si accomodi in macchina. / 5. Si rassegni! Avrebbe fatto meglio a godersi la pensione! / 6. Mi dica almeno perché ha ucciso mia moglie.

Pagina 89 n. 2

Si accomodi/Mi scusi/Si scusi/ Mi ascolti - mi risponda/ Si preoccupi/Mi dica

Pagina 87 n. 2

Era/ha/dolore/chiede/moglie/non/ hanno/di/bosco/suicidio/macchina/ fioraio/ di/perché/corda/fa.

Pagina 22 n. 1

1. c / 2. c / 3. c / 4. a / 5. b / 6. a / 7. a

Pagina 23 n. 2

d. 1 / c. 2 / b. 3 / e. 4 / a. 5 / h. 6 / g. 7 / i. 8 / f. 9

Pagina 25 n. 1

1. Compra il Corriere della Sera. Compralo.
2. Andate all'Informagiovani. Andateci.
3. Inventati un lavoro. Inventatelo.
4. Fai soggiorni prolungati all'estero. Falli.
5. Non scrivete informazioni false nel Curriculum Vitae. Non scrivetecele.
6. Abbiate maggior flessibilità. Abbiatela.
7. Metti un'inserzione su Il Sole 24 ore Mettila.
8. Scambiatevi informazioni utili. Scambiatevele.
9. Impara l'inglese. Imparalo.

Pagina 26 n. 1

1. a. / 2. a. / 3. b. / 4. b. / 5. c. / 6. a. /7. b.

Pagina 27 n. 2

1. Il commissario non riesce a stare fermo perché aspetta la telefonata di

Melani. / 2. Il comportamento di Grandini è lo stesso di quando era un giovane commissario che lavorava giorno e notte. / 3. Grandini entra al commissariato, dove gli scherzi degli ex colleghi sono tanto numerosi che innervosiscono Grandini (da innervosire Grandini). / 4. Grandini si rivolge a Melani per sapere di chi è il numero di telefono scritto sulla sua banconota.

Pagina 35 n. 2

Sale/passaggio/di colpo/inquieto/ presentimento/persone/poliziotti/ spalancata/assembramento/cosa sia successo alla moglie

Pagina 37 n. 1

con l'articolo o la preposizione articolata	senza l'articolo
al suo passaggio	a casa mia (2 volte)
del suo appartamento	mia moglie (2 volte)
il suo studio	sua moglie (3 volte)
al suo fianco	
il suo vicino	
la sua domanda	

Pagina 37 n. 2

1. Mio - mia - i miei / 2. I tuoi - tua / 3. La sua / 4. Il nostro / 5. La vostra / 6. La loro

Pagina 38 n. 3

1. suo / 2. nel suo / 3. sua / 4. ai loro / 5. della sua / 6. dei suoi / 7. i suoi

Pagina 39 n. 1

1. Assassino / 2. Delinquente /
3. Omicida / 4. Criminale /
5. Detective / 6. Poliziotto

Pagina 39 n. 2

1. Scippo / 2. Sguardo /
3. Macchie / 4. Sconosciuto /
5. Pianerottolo / 6. Inquilini

Pagina 39 n.3

1. spalle / 2. braccio /
3. collo / 4. mano /
5. mani / 6. testa

Pagina 44 n.1

1. a / 2. b / 3. c / 4. c / 5. b

Pagina 47 n. 1

1. ci / 2. ne / 3. ne / 4. ne /
5. ne / 6. ci / 7. ne / 8. ci

Pagina 48 n.2

1. A / 2. PR / 3. PC / 4. PR / 5. A /
6. PC / 7. A / 8. PC

Pagina 48 n.3

1. Ne vuoi una fetta?

2. Ne vengo adesso.

3. Ne sto lontano.

4. Ne è uscita male.

5. Ne è innamorato.

6. Ne ha fatto una tragedia.

7. Ne ha letto poche pagine.

8. Non ne vuole sapere nulla.

Pagina 49 n. 1

1. del / 2. L' / 3. che / 4. indagini /
5. nel / 6. donna / 7. nome /
8. aiuto / 9. casa / 10. nessuno /
11. come / 12. caso

Pagina 49 n. 2

Grandini	Melani
Essere fuori di sé	Essere imbarazzato
Non credere alle proprie orecchie	Essere desolato
Vivere un incubo	Diventare brusco
Sentirsi gelare il sangue	Parlare con un tono distaccato
Diventare sarcastico	

Pagina 50 n. 3

1. e / 2. d / 3. f / 4. c / 5. g / 6. b / 7. a

Pagina 50 n. 4

Il commissario saprà risolvere il
caso?

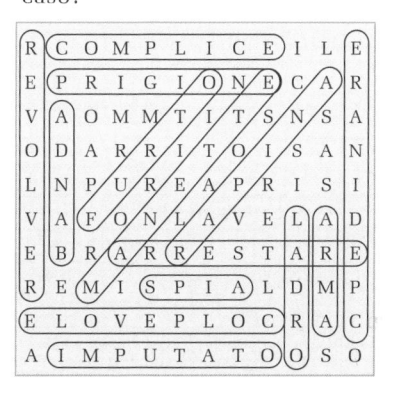

Pagina 55 n. 2

g. 1 / a. 2 / c. 3 / f. 4 / e. 5 / d. 6 /
b. 7

Pagina 9 n. 1

1.a / 2. c / 3. b / 4. b / 5. c / 6. b

Pagina 10 n. 3

a comperarsi il giornale/
chiacchierare/fa troppo freddo/è
l'anniversario del suo matrimonio/
una dozzina di rose rosse/verso
mezzogiorno/da dieci euro/dei
numeri/di una polvere nera/con il
fazzoletto/si siede sul divano/ha
consolato una bella bionda/la
giacca dall'attaccapanni/tira fuori
dal portafoglio il biglietto da 20
euro/al commissariato/il numero
di telefono

Pagina 12 n. 1

Le/mi/mi/gli/Lei/lo/ti/mi/ti/La

Pagina 12 n. 3

							Paolo
							di
			piace				notizie
ci	alziamo	alle	sette	ci			chiederò
			non				gli
			che				Luigi
			ripeto	avvertirai			vedo
Se	Franca	mi	invita	le	regalerò	dei	cioccolatini
			e		e		
			dico		ritroverai		
Se	non	la	incontro	le	telefono		
			Penso che				

Pagina 13 n. 1

Libraio/tabaccaio/fruttivendolo/
giornalaio/farmacista/fornaio -
panettiere/macellaio/pescivendolo/
benzinaio

Pagina 13 n. 2

1.a / 2. c / 3. c / 4. a / 5. c

Pagina 14 n. 3

1. Sulla banconota ci sono dei
numeri che lasciano sulle dita
una polvere nera.
2. Il fioraio deve portare le rose
rosse che il commissario ha
comprato per sua moglie.

Pagina 15 n. 4

1. da / 2. dall' / 3. alla / 4. e /
5. nemmeno / 6. quanto / 7. chiesa /
8. da / 9. e / 10. momento /
11. altro / 12. che / 13. e / 14. che /
15. sì / 16. del / 17. nozze /
18. del / 19. anno / 20. secondo